12/14/99

12.95

Lect.

ML

D1049289

N° 72.455-2

LOS CIEN MEJORES POEMAS DE AMOR DE LA LENGUA CASTELLANA

Ninguna parte de esta publicación, incluido el diseño de la cubierta, puede ser reproducida, almacenada o transmitida en manera alguna ni por ningún medio, ya sea eléctrico, químico, mecánico, óptico, de grabación o de fotocopia, sin permiso previo del editor.

Primera edición, 1997

La Fundación Vicente Huidobro autorizó la publicación del fragmento de *Altazor*, de V. Huidobro; la señorita Doris Dana la de los poemas de Gabriela Mistral y la Agencia Literaria Carmen Balcells los de Pablo Neruda. Los antologadores agradecen también el permiso dado por los autores y/o sus herederos, para los poemas sujetos a derecho de publicación.

© PEDRO LASTRA. RIGAS KAPPATOS, 1997

Derechos exclusivos
© EDITORIAL ANDRES BELLO
Av. Ricardo Lyon 946, Santiago de Chile

Registro de Propiedad Intelectual
Inscripción N° 102.101, año 1997
Santiago-Chile

Se terminó de imprimir esta segunda edición
de 3.000 ejemplares en el mes de febrero de 1998

IMPRESORES: Productora Gráfica Andros

IMPRESO EN CHILE / PRINTED IN CHILE

ISBN: 956-13-1519-X

LOS CIEN MEJORES POEMAS DE AMOR DE LA LENGUA CASTELLANA

Selección y notas de
PEDRO LASTRA y RIGAS KAPPATOS

PATERSON FREE PUBLIC LIBRARY
250 Braodway
Paterson, New Jersey 07501

EDITORIAL ANDRES BELLO
Barcelona • Buenos Aires • México D.F. • Santiago de Chile

LOS CIEN MEJORES POEMAS DE AMOR DE LA LENGUA CASTELLANA

PATERSON FREE PUBLIC LIBRARY
250 Broadway
Paterson, New Jersey 07501

A Juanita y Gloria

NOTA PRELIMINAR

El amor es un tema que raras veces ha dejado de preocupar a los poetas de todos los tiempos, en todos los idiomas. En lugares donde no había, en el pasado, idiomas escritos –como en los pueblos autóctonos de América Latina, por ejemplo–, este sentimiento se manifestaba en la tradición poética oral y en otras formas artísticas: escultura, pintura.

En consecuencia, el tema del amor es tan extendido que supuestamente tendría que haberse agotado, pero como advirtió Fernando de Herrera en 1580 es, en realidad, inagotable: "...no todos los pensamientos y consideraciones de amor –escribió Herrera en sus comentarios sobre Garcilaso– cayeron de la mente del Petrarca y del Bembo y de los antiguos; porque es tan derramado y abundante el argumento de amor, y tan acrecentado en sí mismo, que ningunos ingenios pueden abrazallo todo, antes queda a los sucedientes ocasión para alcanzar lo que parece imposible haber ellos dejado".

En otras palabras, esto indica que mientras haya hombres y mujeres que reciban y sientan las flechas del hijo de Afrodita, tarde o temprano tendrán que atender a ese argumento, si son poetas.

Por lo mismo, el tema varía más que cualquier otro, y hay tantas versiones distintas como hay seres humanos: es el tema que permanece renovándose al infinito.

Escribir sobre el amor exige, pues, un extremo cuidado: por tratarse de una experiencia esencial del ser humano, que compromete necesariamente a todos, ha inspirado obras maestras en la poesía universal, pero es también el motivo literario que con mayor facilidad puede conducir a los lugares comunes, y a la cursilería.

Es un saber universal que el Amor "es ciego" y que enloquece "de atar"; también lo es el reconocimiento de que él inspira a los poetas su dolor y su melancolía; su exaltación jubilosa y sus caídas "en los abismos de la desesperación"; su violencia y su ternura, con todas sus apariciones antitéticas, como vida y muerte (Eros y Tanatos).

Como tema es antiquísimo. Según la cosmogonía de Hesíodo, el Amor es el dios que apareció en tercer lugar, después de los dioses Caos y Gea, constituyéndose desde muy temprano en una poderosa fuente animadora para poetas y artistas de Grecia y posteriormente de Roma. Desde su origen, el Amor es el dios con quien no se batalla, porque la lucha está perdida de antemano, como dice el famoso verso de Sófocles: "El amor en la batalla no se vence".

Si no es tarea fácil escoger los cien mejores poemas amorosos en la producción literaria de un solo país, ésta es harto más compleja y difícil cuando se trata de hacer esa selección en la poesía de un idioma como el castellano, que se habla oficialmente en más de veinte países. El desafío que implica semejante trabajo puede ser sin embargo estimulante, y ya que lo hemos asumido queremos explicar brevemente su motivación y el criterio que lo sustenta.

Este proyecto empezó a dibujarse como tal a partir de una conversación de los dos colaboradores sobre la famosa rima de Gustavo Adolfo Bécquer, "Volverán las oscuras golondrinas", que iba a aparecer en Atenas, junto con otros poemas de autores hispanoamericanos, en una edición bilingüe español-griego, destinada a los lectores helenos. Los textos de esa breve selección tenían temas muy diversos, pero el poema de Bécquer nos llevó a pensar en una selección de los cien mejores poemas de amor de la lengua castellana, que no se ha hecho antes con esta característica.

Con respecto a la rima de Bécquer, ambos estuvimos

de acuerdo en que, muy probablemente, éste sería el poema más difundido de cuantos se han escrito en español, porque no sólo le es familiar a escritores, artistas y letrados sino incluso a personas que no saben leer. Y esto, principalmente, por su tema amoroso que, como decimos más arriba, es tan importante para todos.

Nos preguntamos, pues, cómo sería una antología que mostrara otros noventa y nueve poemas de amor, semejantes al de Bécquer por su calidad artística y por su eficacia comunicativa; poemas, en fin, que la memoria de cualquier lector acogiera como voces familiares que le hablaban de su propia experiencia. El número de cien, desde luego, no es más que un límite, pero con la ventaja de una precisión que obliga a extremar el rigor selectivo.

Así se originó la idea. En su desarrollo nos ha guiado nuestro fervor por la poesía en general y la cercanía de toda una vida a la poesía en lengua castellana: uno, enseñando y escribiendo poesía en ese idioma; el otro, estudiándola, antologándola y traduciéndola al griego. Pero ante todo, hemos acudido a nuestra experiencia como lectores, aunque naturalmente hay diferencias en el grado de participación de cada uno de nosotros en la poesía que se escribió en la lengua de Garcilaso y de Góngora, de Neruda y de la Mistral.

La producción de poesía amorosa en castellano es tan grande que fácilmente se podría hacer una antología de los mejores poemas de amor escritos en cada país (por cierto, las hay, y algunas tan notables como el volumen de poesía amorosa colombiana titulado *Sentimentario*, dispuesto por Darío Jaramillo Agudelo y publicado en 1987). También es imaginable una vasta antología que incluyera miles de poemas de amor de todos los países de habla española. Sin gran dificultad, sería posible disponer una antología sólo con algunos de los poetas del Siglo de Oro español, o con algunos de los modernistas hispanoamericanos: tanto los unos como los otros lograron construir sus poemas amorosos, principalmente sonetos, como perfectas composiciones apolíneas, gracias a la riqueza y musicalidad de sus

11

aliteraciones y rimas. Pero el amor, por supuesto, ha seguido y seguirá inspirando a los poetas y una antología especial –no importa cuán limitada sea– resultaría parcial sin la inclusión de los autores contemporáneos.

Teniendo en cuenta esta realidad y otro aspecto tan considerable como es la difusión alcanzada por el poema de Bécquer, pensamos que hay varias decenas de poemas que ningún antólogo serio puede ignorar en un libro de esta naturaleza, aunque sean muy conocidos y se encuentren a veces en los textos escolares: son aquellos poemas memorables, cuya omisión desvirtuaría, reduciéndolo, el propósito de esta muestra: es el caso, entre otros, del dramático "Nocturno" de José Asunción Silva, de los intensos lamentos de Garcilaso, del soneto del conde de Villamediana a "una dama que se peinaba", de la súplica –ciertamente trágica– del poema de Luis Palés Matos, para que Caronte deje al enamorado que allí habla un poco tiempo más con la mujer amada, del soneto de Francisco de Terrazas que compara a la mujer con un "edificio vivo", del Poema 20 de Neruda, que compite en difusión con el mismo Bécquer, etc. Esto en cuanto a los poemas ya muy conocidos –por eso mismo infaltables– que se encuentran en esta antología, y que alcanzan más o menos a un cincuenta por ciento. En cuanto a la otra mitad, y como toda selección, ésta expresa preferencias estéticas definidas, bastante cercanas para ambos colaboradores. Obviamente, otros antólogos podrían haber escogido poemas distintos y, en muchos casos, de diferentes autores. Nosotros, aproximando conocimientos y acortando las diferencias, hicimos lo posible por lograr una selección de las cien mejores poesías amorosas de la lengua castellana cuya validez pudiera ser reconocida por los más diversos lectores.

Creemos haber cumplido, en buena medida, con nuestro propósito; pero la última palabra será como siempre la del lector, que advertirá en seguida que se trata de una antología de poemas y no de poetas o de países.

P.L. – R.K.

JUAN RUIZ, ARCIPRESTE DE HITA

CUALIDADES DE LAS MUJERES CHICAS

Quiero abreviar, señores, la mi predicación,
pues siempre me pagué de pequeño sermón,
y de dueña pequeña y de breve razón,
pues lo poco y bien dicho se hinca en el corazón.
Del que habla mucho, ríen; quien mucho ríe, es loco.
En la mujer pequeña hay amor, y no poco.
Hay muchas dueñas grandes que por chicas "non troco"
pero ambas se arrepienten del cambio que provoco.
Decir bien de las chicas el Amor me hizo ruego
y yo quiero decir sus noblezas muy luego
y hablar de las pequeñas como quien hace juego.
Son frías como nieve, pero arden como el fuego.
Exteriormente frías, con el amor ardientes;
en la cama, solaz: placenteras, rientes,
y en casa, sosegadas, donosas, excelentes.
Tienen mucho de aquello en que tú paras mientes.
En la piedra preciosa yace gran resplandor;
en el trozo de azúcar yace mucho dulzor:
en la dueña pequeña yace enorme el amor.
Pocas palabras bastan al buen entendedor.
Es muy pequeño el grano de la buena pimienta,
pero más que la nuez nos conforta y calienta.
Así dueña pequeña todo amor alimenta.
No hay un placer del mundo que en ella no se sienta.

Tal como en la rosita está intenso el color
y en partecilla de oro hay gran precio y valor
y en la gota de esencia, la fragancia mayor,
así en la dueña chica se halla todo el sabor.
Como el rubí pequeño tiene mucha bondad,
color, virtud y valor, nobleza y claridad;
así dueña pequeña tiene mucha beldad,
hermosura, donaire, amor y lealtad.
Pequeña es la calandria y chico el ruiseñor,
mas su canto es más dulce que el de otra ave mayor.
La mujer que es pequeña, es por eso mejor.
Enamorada endulza más que azúcar ni flor.
Son aves pequeñitas papagayo y "orior",
pero cualquiera de ellos es dulce gritador.
Vehemente, y hermosa, preciado cantador,
así tal es la dueña pequeña con amor.
De la mujer pequeña ya no hay comparación.
Terrenal paraíso es y gran consolación,
y solaz, y alegría, placer y bendición.
Mejor es en la prueba que en la salutación.
Siempre amé mujer chica más que mujer mayor,
pues no es desaguisado huir de lo peor.
Del mal tomar lo menos, dice el conocedor.
Por tal, de las mujeres, la mejor es la menor.

(Del *Libro de Buen Amor*.
Versión moderna de Clemente Canales Toro)

ANONIMO

FONTE FRIDA, FONTE FRIDA

Fonte frida, fonte frida, fonte frida y con amor,
do todas las avecicas van tomar consolación,
si no es la tortolica qu'está viuda y con dolor;
por allí fuera pasar el traidor del ruiseñor;
las palabras que le dice llenas son de traición:
–"Si tú quisieses, señora, yo sería tu servidor."
–"Vete d'ahí, enemigo, malo, falso, engañador,
"que ni poso en ramo verde, ni en prado que tenga flor;
"que si el agua hallo clara turbia la bebía yo;
"que no quiero haber marido porque hijos no haya, no;
"no quiero placer con ellos, ni menos consolación.
"¡Déjame, triste enemigo, malo, falso, mal traidor,
"que no quiero ser tu amiga ni casar contigo, no!"

GARCI SANCHEZ DE BADAJOZ

UN SUEÑO QUE SOÑO

La mucha tristeza mía
que causó vuestro deseo,
ni de noche ni de día,
cuando estoy donde no os veo,
no olvida mi compañía.
Yo los días no los vivo,
velo las noches cautivo,
y si alguna noche duermo,
suéñome muerto en un yermo
en la forma que aquí escribo.

Yo soñaba que me iba
desesperado de amor
por una montaña esquiva
donde, si no un ruiseñor,
no hallé otra cosa viva;
y del dolor que [l]levaba,
soñaba que me finaba,
y el Amor, que lo sabía
y que a buscarme venía,
y al ruiseñor preguntaba:

–Dime, lindo ruiseñor,
¿viste por aquí perdido

un muy leal amador
que de mí viene herido?
–Cómo, ¿sois vos el Amor?
–Sí, yo soy a quien seguís
y por quien dulces vivís
todos los que bien amáis.
–Ya sé por quién preguntáis:
por Garcí Sánchez decís.

Muy poco ha que pasó
solo por esta ribera
y, como le vi y me vio,
yo quise saber quién era,
y él luego me lo contó
diciendo: "Yo soy aquel
a quien más fue Amor cruel,
cruel que causó el dolor,
que a mí no me mató amor,
sino la tristeza dél."

–Yo le dije: "¿Si podré
a tu mal dar algún medio?"
–Díjome: "No, y el por qué
es porque aborrí el remedio
cuando dél desesperé."
Y estas palabras diciendo
y las lágrimas corriendo,
se fue con dolores graves;
yo con otras muchas aves
fuimos en pos dél siguiendo,

hasta que muerto cayó
allí, entre unas acequias,
y aquellas aves y yo
le cantamos las obsequias,
porque de amores murió:
y aún no medio fallecido,

17

la tristeza y el olvido
le enterraron de crueles,
y en estos verdes laureles
fue su cuerpo convertido.

De allí nos quedó costumbre
las aves enamoradas
de cantar sobre su cumbre
las tardes, las alboradas,
cantares de dulcedumbre:
—*Pues yo os otorgo indulgencia*
de las penas que la ausencia
os dará, amor y tristura,
a quien más su sepultura
servirá con reverencia.

FIN

Vime alegre, vime ufano
de estar con tan dulce gente,
vime con bien soberano
enterrado honradamente,
y muerto de vuestra mano:
allí, estando en tal concierto
creyendo que era muy cierto
que veía lo que escribo,
recordé y halléme vivo,
de la cual causa soy muerto.

(De *Poesía de la Edad Media*
y poesía de tipo tradicional.
Selección, prólogo, notas y
vocabulario de Dámaso Alonso)

GARCILASO DE LA VEGA

EGLOGA PRIMERA
(Fragmentos)

Salicio

¡Oh más dura que mármol a mis quejas,
y al encendido fuego en que me quemo
más helada que nieve, Galatea!
Estoy muriendo, y aún la vida temo;
témola con razón, pues tú me dejas;
que no hay, sin ti, el vivir para qué sea.
Vergüenza ha que me vea
ninguno en tal estado,
de ti desamparado,
y de mí mismo yo me corro agora.
¿De un alma te desdeñas ser señora
donde siempre moraste, no pudiendo
della salir un hora?
Salid sin duelo, lágrimas, corriendo.
. . . .

Por ti el silencio de la selva umbrosa,
por ti la esquividad y apartamiento
del solitario monte me agradaba;
por ti la verde hierba, el fresco viento,
el blanco lirio y colorada rosa

y dulce primavera deseaba.
¡Ay, cuánto me engañaba!
¡Ay, cuán diferente era
y cuán de otra manera
lo que en tu falso pecho se escondía!
Bien claro con su voz me lo decía
la siniestra corneja repitiendo
la desventura mía.
Salid sin duelo, lágrimas, corriendo.

. . . .

Tu dulce habla, ¿en cúya oreja suena?
Tus claros ojos, ¿a quién los volviste?
¿Por quién tan sin respeto me trocaste?
Tu quebrantada fe, ¿dó la pusiste?
¿Cuál es el cuello que, como en cadena,
de tus hermosos brazos anudaste?
No hay corazón que baste,
aunque fuese de piedra,
viendo mi amada yedra,
de mí arrancada, en otro muro asida,
y mi parra en otro olmo entretejida,
que no se esté con llanto deshaciendo
hasta acabar la vida.
Salid sin duelo, lágrimas, corriendo.

. . . .

Siempre de nueva leche en el verano
y en el invierno abundo; en mi majada
la manteca y el queso está sobrado;
de mi cantar, pues, yo te vi agradada,
tanto, que no pudiera el mantuano
Títiro ser de ti más alabado.
No soy, pues, bien mirado,
tan disforme ni feo;
que aun agora me veo
en esta agua que corre clara y pura;

y cierto no trocara mi figura
con ese que de mí se está riendo:
trocara mi ventura.
Salid sin duelo, lágrimas, corriendo.

¿Cómo te vine en tanto menosprecio?
¿Cómo te fui tan presto aborrecible?
¿Cómo te faltó en mí el conocimiento?
Si no tuvieras condición terrible,
siempre fuera tenido de ti en precio,
y no viera de ti este apartamiento.
¿No sabes que sin cuento
buscan en el estío
mis ovejas el frío
de la sierra de Cuenca, y el gobierno
del abrigado Estremo en el invierno?
Mas ¿qué vale el tener, si derritiendo
me estoy en llanto eterno?
Salid sin duelo, lágrimas corriendo.

Con mi llorar las piedras enternecen
su natural dureza y la quebrantan,
los árboles parece que se inclinan;
las aves que me escuchan, cuando cantan,
con diferente voz se condolecen,
y mi morir cantando me adivinan.
Las fieras que reclinan
su cuerpo fatigado,
dejan el sosegado
sueño por escuchar mi llanto triste.
Tú sola contra mí te endureciste,
los ojos aun siquiera no volviendo
a lo que tú heciste.
Salid sin duelo, lágrimas, corriendo.
. . . .

21

Nemoroso

Corrientes aguas, puras, cristalinas;
árboles que os estáis mirando en ellas,
verde prado de fresca sombra lleno,
aves que aquí sembráis vuestras querellas,
yedra que por los árboles caminas,
torciendo el paso por su verde seno;
yo me vi tan ajeno
del grave mal que siento,
que de puro contento
con vuestra soledad me recreaba,
donde con dulce sueño reposaba,
o con el pensamiento discurría
por donde no hallaba
sino memorias llenas de alegría.

. . . .

¿Dó están agora aquellos claros ojos
que llevaban tras sí, como colgada,
mi alma doquier que ellos se volvían?
¿Dó está la blanca mano delicada,
llena de vencimientos y despojos
que de mí mis sentidos le ofrecían?
Los cabellos que vían
con gran desprecio el oro,
como a menor tesoro,
¿adónde están?, ¿adónde el blando pecho?
¿Dó la coluna que el dorado techo
con presunción graciosa sostenía?
Aquesto todo agora ya se encierra
por desventura mía,
en la fría, desierta y dura tierra.

. . . .

Desta manera suelto ya la rienda
a mi dolor, y así me quejo en vano
de la dureza de la muerte airada.

Ella en mi corazón metió la mano,
y de allí me llevó mi dulce prenda;
que aquel era su nido y su morada.
¡Ay muerte arrebatada!
Por ti me estoy quejando
al cielo y enojando
con importuno llanto al mundo todo.
Tan desigual dolor no sufre modo.
No me podrán quitar el dolorido
sentir, si ya del todo
primero no me quitan el sentido.

. . . .

Divina Elisa, pues agora el cielo
con inmortales pies pisas y mides,
y su mudanza ves, estando queda,
¿por qué de mí te olvidas, y no pides
que se apresure el tiempo en que este velo
rompa del cuerpo, y verme libre pueda,
y en la tercera rueda,
contigo mano a mano
busquemos otro llano,
busquemos otros montes y otros ríos,
otros valles floridos y sombríos,
donde descanse, y siempre pueda verte
ante los ojos míos,
sin miedo y sobresalto de perderte?

. . . .

SONETO V

Escrito está en mi alma vuestro gesto
y cuanto yo escribir de vos deseo:
vos sola lo escribistes; yo lo leo
tan solo, que aun de vos me guardo en esto.

En esto estoy y estaré siempre puesto,
que aunque no cabe en mí cuanto en vos veo,
de tanto bien lo que no entiendo creo,
tomando ya la fe por presupuesto.

Yo no nací sino para quereros;
mi alma os ha cortado a su medida;
por hábito del alma misma os quiero;

cuanto tengo confieso yo deberos;
por vos nací, por vos tengo la vida,
por vos he de morir, y por vos muero.

SONETO X

¡Oh dulces prendas por mi mal halladas,
dulces y alegres cuando Dios quería,
juntas estáis en la memoria mía
y con ella en mi muerte conjuradas!

¿Quién me dijera, cuando las pasadas
horas qu'en tanto bien por vos me vía,
que me habíades de ser en algún día
con tan grave dolor representadas?

24

Pues en una hora junto me llevastes
todo el bien que por términos me distes,
llévame junto al mal que me dejastes;

si no, sospecharé que me pusistes
en tantos bienes, porque deseastes
verme morir entre memorias tristes.

GUTIERRE DE CETINA

MADRIGAL I

Ojos claros, serenos,
si de un dulce mirar sois alabados,
¿por qué, si me miráis, miráis airados?
Si cuanto más piadosos,
más bellos parecéis a aquel que os mira,
no me miréis con ira,
porque no parezcáis menos hermosos.
¡Ay tormentos rabiosos!
Ojos claros, serenos,
ya que así me miráis, miradme al menos.

FRANCISCO DE TERRAZAS

[DEJAD LAS HEBRAS DE ORO ENSORTIJADO]

Dejad las hebras de oro ensortijado
que el ánima me tienen enlazada,
y volved a la nieve no pisada
lo blanco de esas rosas matizado.

Dejad las perlas y el coral preciado
de que esa boca está tan adornada;
y al cielo, de quien sois tan envidiada,
volved los soles que le habéis robado.

La gracia y discreción que muestra ha sido
del gran saber del celestial maestro,
volvédselo a la angélica natura;

y todo aquesto así restituido,
veréis que lo que os queda es propio vuestro:
ser áspera, cruel, ingrata y dura.

A UNAS PIERNAS

¡Ay basas de marfil, vivo edificio
obrado del artífice del cielo,
columnas de alabastro que en el suelo
nos dais del bien supremo claro indicio!

¡Hermosos capiteles y artificio
del arco que aun de mí me pone celo!
¡Altar donde el tirano dios mozuelo
hiciera de sí mismo sacrificio!

¡Ay puerta de la gloria de Cupido
y guarda de la flor más estimada
de cuantas en el mundo son ni han sido!

Sepamos hasta cuándo estáis cerrada
y el cristalino cielo es defendido
a quien jamás gustó fruta vedada.

FERNANDO DE HERRERA

SONETO XXXII

¡O[h] cara perdición, o[h] dulce engaño,
suave mal, sabroso descontento,
amado error del tierno pensamiento,
luz que nunca descubre el desengaño!

Puerta por la cual entra el bien y el daño,
descanso y pena grave del tormento,
vida del mal, alma del sufrimiento,
de confusión revuelta cerco extraño,

vario mar de tormenta y de bonanza,
segura playa y peligroso puerto,
sereno, instable, oscuro y claro cielo:

¿por qué, como me diste confianza
d'osar perderme, ya qu'estoy desierto
de bien, no pones a mi mal consuelo?

FRANCISCO DE ALDANA

SONETO XII

"¿Cuál es la causa, mi Damón, que estando
en la lucha de amor juntos trabados
con lenguas, brazos, pies y encadenados
cual vid que entre el jazmín se va enredando

"y que el vital aliento ambos tomando
en nuestros labios, de chupar cansados,
en medio a tanto bien somos forzados
llorar y suspirar de cuando en cuando?"

"Amor, mi Filis bella, que allá dentro
nuestras almas juntó, quiere en su fragua
los cuerpos ajuntar también tan fuerte

"que no pudiendo, como esponja el agua,
pasar del alma al dulce amado centro
llora el velo mortal su avara suerte."

ANONIMO

ROMANCE DE AMORES

Si se está mi corazón
en una silla sentado,
circuido de pasión,
de firmeza coronado,
tristes de mis pensamientos
que le tenían cercado;
al uno llaman desdicha,
al otro llaman cuidado,
al otro gran desconsuelo,
para mí, desconsolado,
que una señora que sirvo
mis servicios ha olvidado.
Y si yo muero de amores
no me entierren en sagrado,
háganme la sepultura
en un verdecico prado,
y dirán todas las gentes
de qué murió el desdichado;
no murió de calentura
ni de dolor de costado,
mas murió de mal de amores
que es un mal desesperado.

(Del *Cancionero llamado*
Flor de enamorados)

LUIS DE GONGORA Y ARGOTE

SONETO LXXXII

La dulce boca que a gustar convida
un humor entre perlas distilado,
y a no invidiar aquel licor sagrado
que a Júpiter ministra el garzón de Ida,

amantes, no toquéis, si queréis vida;
porque entre un labio y otro colorado
Amor está, de su veneno armado,
cual entre flor y flor sierpe escondida.

No os engañen las rosas, que a la Aurora
diréis que, aljofaradas y olorosas,
se le cayeron del purpúreo seno;

manzanas son de Tántalo, y no rosas,
que después huyen del que incitan ahora,
y sólo del Amor queda el veneno.

SONETO CIII

*De un caminante enfermo que se enamoró
donde fue hospedado*

Descaminado, enfermo, peregrino,
en tenebrosa noche, con pie incierto
la confusión pisando del desierto,
voces en vano dio, pasos sin tino.

Repetido latir, si no vecino,
distinto, oyó de can siempre despierto,
y en pastoral albergue mal cubierto,
piedad halló, si no halló camino.

Salió el Sol, y entre armiños escondida,
soñolienta beldad con dulce saña
salteó al no bien sano pasajero.

Pagará el hospedaje con la vida;
mas le valiera errar en la montaña
que morir de la suerte que yo muero.

LOPE FELIX DE VEGA Y CARPIO

SONETO LXI

Ir y quedarse, y con quedar partirse,
partir sin alma, y ir con alma ajena,
oír la dulce voz de una sirena
y no poder del árbol desasirse;

arder como la vela y consumirse,
haciendo torres sobre tierna arena;
caer de un cielo, y ser demonio en pena,
y de serlo jamás arrepentirse;

hablar entre las mudas soledades;
pedir prestada sobre fe paciencia,
y lo que es temporal llamar eterno;

creer sospechas y negar verdades,
es lo que llaman en el mundo ausencia,
fuego en el alma, y en la vida infierno.

SONETO CLXXXVIII

Suelta mi manso, mayoral extraño,
pues otro tienes de tu igual decoro,
deja la prenda que en el alma adoro,
perdida por tu bien y por mi daño.

Ponle su esquila de labrado estaño,
y no le engañen tus collares de oro,
toma en albricias este blanco toro,
que a las primeras hierbas cumple un año.

Si pides señas, tiene el vellocino,
pardo encrespado, y los ojuelos tiene
como durmiendo en regalado sueño.

Si piensas que no soy su dueño, Alcino,
suelta, y verásle si a mi choza viene,
que aún tienen sal las manos de su dueño.

FRANCISCO DE MEDRANO

SONETO XLI

Quien te dice que ausencia causa olvido
mal supo amar, porque si amar supiera,
¿qué, la ausencia?: la muerte nunca hubiera
las mientes de su amor adormecido.

¿Podrá olvidar su llaga un corzo herido
del acertado hierro, cuando quiera
huir medroso, con veloz carrera,
las manos que la flecha han despedido?

Herida es el amor tan penetrante
que llega al alma; y tuya fue la flecha
de quien la mía dichosa fue herida.

No temas, pues, en verme así distante,
que la herida, Amarili, una vez hecha,
siempre, siempre y doquiera, será herida.

FRANCISCO DE QUEVEDO Y VILLEGAS

SONETO AMOROSO DEFINIENDO
EL AMOR

Es hielo abrasador, es fuego helado,
es herida que duele y no se siente,
es un soñado bien, un mal presente,
es un breve descanso muy cansado.

Es un descuido que nos da cuidado,
un cobarde, con nombre de valiente,
un andar solitario entre la gente,
un amar solamente ser amado.

Es una libertad encarcelada,
que dura hasta el postrero parasismo;
enfermedad que crece si es curada.

Este es el niño Amor, éste es su abismo.
¡Mirad cuál amistad tendrá con nada
el que en todo es contrario de sí mismo!

AMOR CONSTANTE MAS ALLA
DE LA MUERTE

Cerrar podrá mis ojos la postrera
sombra que me llevare el blanco día,
y podrá desatar esta alma mía
hora a su afán ansioso lisonjera;

mas no, de esotra parte, en la ribera,
dejará la memoria, en donde ardía:
nadar sabe mi llama la agua fría,
y perder el respeto a ley severa.

Alma a quien todo un dios prisión ha sido,
venas que humor a tanto fuego han dado,
medulas que han gloriosamente ardido,

su cuerpo dejará, no su cuidado;
serán ceniza, mas tendrá sentido;
polvo serán, mas polvo enamorado.

PROSIGUE EN EL MISMO ESTADO
DE SUS AFECTOS

Amor me ocupa el seso y los sentidos;
absorto estoy en éxtasi amoroso;
no me concede tregua ni reposo
esta guerra civil de los nacidos.

Explayóse el raudal de mis gemidos
por el grande distrito doloroso
del corazón, en su penar dichoso,
y mis memorias anegó en olvidos.

Todo soy ruinas, todo soy destrozos,
escándalo funesto a los amantes,
que fabrican de lástimas sus gozos.

Los que han de ser, y los que fueron antes,
estudien su salud en mis sollozos,
y envidien mi dolor, si son constantes.

JUAN DE TASSIS PERALTA, CONDE DE VILLAMEDIANA

A UNA DAMA QUE SE PEINABA

En ondas de los mares no surcados
navecilla de plata dividía,
una cándida mano la regía
con viento de suspiros y cuidados.

Los hilos que de frutos separados
el abundancia pródiga esparcía,
dellos avaro Amor los recogía,
dulce prisión forzando a sus forzados.

Por este mismo proceloso Egeo,
con naufragio feliz va navegando
mi corazón cuyo peligro adoro.

Y las velas al viento desplegando,
rico en la tempestad halla deseo
escollo de diamante en golfos de oro.

[AMOR NO ES VOLUNTAD
SINO DESTINO]

Amor no es voluntad, sino destino
de violenta pasión y fe con ella;
elección nos parece y es estrella
que sólo alumbra el propio desatino.

Milagro humano en símbolos divino,
ley que sus mismas leyes atropella;
ciega deidad, idólatra querella,
que da fin y no medio a su camino.

Sin esperanza, y casi sin deseo,
recatado del propio pensamiento,
en ansias vivas acabar me veo.

Persuasión eficaz de mi tormento,
que parezca locura y devaneo
lo que es amor, lo que es conocimiento.

SOR JUANA INES DE LA CRUZ

QUE CONTIENE UNA FANTASIA CONTENTA CON AMOR DECENTE

Detente, sombra de mi bien esquivo,
imagen del hechizo que más quiero,
bella ilusión por quien alegre muero,
dulce ficción por quien penosa vivo.

Si al imán de tus gracias, atractivo,
sirve mi pecho de obediente acero,
¿para qué me enamoras lisonjero
si has de burlarme luego fugitivo?

Mas blasonar no puedes, satisfecho,
de que triunfa de mí tu tiranía:
que aunque dejas burlado el lazo estrecho

que tu forma fantástica ceñía,
poco importa burlar brazos y pecho
si te labra prisión mi fantasía.

EN QUE SATISFACE UN RECELO
CON LA RETORICA DEL LLANTO

Esta tarde, mi bien, cuando te hablaba,
como en tu rostro y tus acciones vía
que con palabras no te persuadía,
que el corazón me vieses deseaba;

y Amor, que mis intentos ayudaba,
venció lo que imposible parecía:
pues entre el llanto, que el dolor vertía,
el corazón deshecho destilaba.

Baste ya de rigores, mi bien, baste;
no te atormenten más celos tiranos
ni el vil recelo tu quietud contraste

con sombras necias, con indicios vanos,
pues ya en líquido humor viste y tocaste
mi corazón deshecho entre tus manos.

MANUEL DE NAVARRETE

LA SEPARACION DE CLORILA

Luego que de la noche el negro velo
por la espaciosa selva se ha extendido,
parece que de luto se han vestido
las bellas flores del ameno suelo.

Callan las aves, y con tardo vuelo
cada cual se retira al dulce nido.
¡Qué silencio en el valle se ha esparcido!
Todo suscita un triste desconsuelo.

Sólo del búho se oye el ronco acento;
de la lechuza el eco quebrantado,
y el medroso ladrar del can hambriento.

Queda el mundo en tristeza sepultado,
como mi corazón en el momento
que se aparta Clorila de mi lado.

(De *Entretenimientos poéticos*)

GERTRUDIS GOMEZ DE AVELLANEDA

IMITANDO UNA ODA DE SAFO

¡Feliz quien junto a ti por ti suspira,
quien oye el eco de tu voz sonora,
quien el halago de tu risa adora,
y el blando aroma de tu aliento aspira!

¡Ventura tanta, que envidioso admira
el querubín que en el empíreo mora,
el alma turba, al corazón devora,
y el torpe acento, al expresarla, expira.

Ante mis ojos desparece el mundo,
y por mis venas circular ligero
el fuego siento del amor profundo.

Trémula, en vano resistirte quiero...
De ardiente llanto mi mejilla inundo...
¡delirio, gozo, te bendigo y muero!

GUSTAVO ADOLFO BECQUER

VOLVERAN LAS OSCURAS GOLONDRINAS

Volverán las oscuras golondrinas
en tu balcón sus nidos a colgar,
y otra vez con el ala a sus cristales
    jugando, llamarán;
pero aquellas que el vuelo refrenaban
tu hermosura y mi dicha al contemplar,
aquellas que aprendieron nuestros nombres,
    esas... ¡no volverán!

Volverán las tupidas madreselvas
de tu jardín las tapias a escalar,
y otra vez a la tarde, aún más hermosas,
    sus flores se abrirán;
pero aquéllas, cuajadas de rocío,
cuyas gotas mirábamos temblar
y caer, como lágrimas del día...
    esas... ¡no volverán!

Volverán del amor en tus oídos
las palabras ardientes a sonar;
tu corazón de su profundo sueño
    tal vez despertará;
pero mudo y absorto y de rodillas,
como se adora a Dios ante su altar,
como yo te he querido... desengáñate,
    ¡así no te querrán!

JOSE MARTI

IX

Quiero, a la sombra de un ala,
Contar este cuento en flor:
La niña de Guatemala,
La que se murió de amor.

Eran de lirios los ramos,
Y las orlas de reseda
Y de jazmín: la enterramos
En una caja de seda.

...Ella dio al desmemoriado
Una almohadilla de olor:
El volvió, volvió casado:
Ella se murió de amor.

Iban cargándola en andas
Obispos y embajadores:
Detrás iba el pueblo en tandas,
Todo cargado de flores.

...Ella, por volverlo a ver,
Salió a verlo al mirador:
El volvió con su mujer:
Ella se murió de amor.

Como de bronce candente
Al beso de despedida
Era su frente ¡la frente
Que más he amado en mi vida!

...Se entró de tarde en el río,
La sacó muerta el doctor:
Dicen que murió de frío:
Yo sé que murió de amor.

Allí, en la bóveda helada,
La pusieron en dos bancos:
Besé su mano afilada,
Besé sus zapatos blancos.

Callado, al oscurecer,
Me llamó el enterrador:
¡Nunca más he vuelto a ver
A la que murió de amor!

(De *Versos sencillos*)

MANUEL GUTIERREZ NAJERA

NON OMNIS MORIAR

¡No moriré del todo, amiga mía!
De mi ondulante espíritu disperso,
algo en la urna diáfana del verso
piadosa guardará la poesía.

¡No moriré del todo! Cuando herido
caiga a los golpes del dolor humano,
ligera tú, del campo entenebrido
levantarás al moribundo hermano.

Tal vez entonces por la boca inerme
que muda aspira la infinita calma,
oigas la voz de todo lo que duerme
¡con los ojos abiertos en mi alma!

Hondos recuerdos de fugaces días,
ternezas tristes que suspiran solas:
pálidas, enfermizas alegrías,
sollozando al compás de las violas...

Todo lo que medroso oculta el hombre
se escapará, vibrante, del poeta,
en áureo ritmo de oración secreta
que invoque en cada cláusula tu nombre.

Y acaso adviertas que de modo extraño
suenan mis versos en tu oído atento.
y en el cristal, que con mi soplo empaño,
mires aparecer mi pensamiento.

(De *Poesías)*

JULIAN DEL CASAL

MIS AMORES

Amo el bronce, el cristal, las porcelanas
las vidrieras de múltiples colores,
los tapices pintados de oro y flores
y las brillantes lunas venecianas.

Amo también las bellas castellanas,
la canción de los viejos trovadores,
los árabes corceles voladores,
las flébiles baladas alemanas.

Pero amo mucho más, Rosa hechicera,
que escuchas mis cantares amorosos,
contemplar con miradas devorantes,

el oro de tu larga cabellera,
el rojo de tus labios temblorosos,
y el negro de tus ojos centelleantes.

(De *Hojas al viento)*

JOSE ASUNCION SILVA

NOCTURNO

Una noche,
Una noche toda llena de perfumes, de murmullos y de
/músicas de alas;
Una noche
En que ardían en la sombra nupcial y húmeda,
/las luciérnagas fantásticas,
A mi lado, lentamente, contra mí ceñida, toda,
Muda y pálida
Como si un presentimiento de amarguras infinitas
Hasta el fondo más secreto de tus fibras te agitara,
Por la senda que atraviesa la llanura florecida
Caminabas;
Y la luna llena
Por los cielos azulosos, infinitos y profundos, esparcía
/su luz blanca,
Y tu sombra
Fina y lánguida,
Y mi sombra
Por los rayos de la luna proyectada
Sobre las arenas tristes
De la senda se juntaban
Y eran una
Y eran una
Y eran una sola sombra larga!

Y eran una sola sombra larga!
Y eran una sola sombra larga!

Esta noche
Solo, el alma
Llena de las infinitas amarguras y agonías de tu muerte,
Separado de ti misma, por la sombra, por el tiempo y la
/distancia,
Por el infinito negro,
Donde nuestra voz no alcanza,
Solo y mudo
Por la senda caminaba,
Y se oían los ladridos de los perros a la luna,
A la luna pálida
Y el chillido
De las ranas,
¡Sentí frío, era el frío que tenían en la alcoba
Tus mejillas y tus sienes y tus manos adoradas,
Entre las blancuras níveas
De las mortüorias sábanas!
Era el frío del sepulcro, era el frío de la muerte,
Era el frío de la nada...
Y mi sombra
Por los rayos de la luna proyectada,
Iba sola,
Iba sola
¡Iba sola por la estepa solitaria!
Y tu sombra esbelta y ágil
Fina y lánguida,
Como en esa noche tibia de la muerta primavera,
Como en esa noche llena de perfumes, de murmullos y
/de músicas de alas,
Se acercó y marchó con ella,
Se acercó y marchó con ella,
Se acercó y marchó con ella... ¡Oh las sombras enlazadas!
¡Oh las sombras que se buscan y se juntan en las noches
/de negruras y de lágrimas!...

(De *El libro de versos*)

RUBEN DARIO

AMO, AMAS

Amar, amar, amar, amar siempre, con todo
el ser y con la tierra y con el cielo,
con lo claro del sol y lo obscuro del lodo:
amar por toda ciencia y amar por todo anhelo.

Y cuando la montaña de la vida
nos sea dura y larga y alta y llena de abismos,
amar la inmensidad que es de amor encendida
¡y arder en la fusión de nuestros pechos mismos!

(De *Cantos de vida y esperanza*)

VERSOS DE OTOÑO

Cuando mi pensamiento va hacia ti, se perfuma;
tu mirar es tan dulce, que se torna profundo.
Bajo tus pies desnudos aun hay blancor de espuma,
y en tus labios compendias la alegría del mundo.

El amor pasajero tiene el encanto breve,
y ofrece un igual término para el gozo y la pena.
Hace una hora que un nombre grabé sobre la nieve;
hace un minuto dije mi amor sobre la arena.

Las hojas amarillas caen en la alameda,
en donde vagan tantas parejas amorosas.
Y en la copa de Otoño un vago vino queda
en que han de deshojarse, Primavera, tus rosas.

(De *El canto errante*)

AMADO NERVO

COBARDIA

Pasó con su madre. ¡Qué rara belleza!
¡Qué rubios cabellos de trigo garzul!
¡Qué ritmo en el paso! ¡Qué innata realeza
de porte! ¡Qué formas bajo el fino tul!...

Pasó con su madre. Volvió la cabeza:
¡me clavó muy hondo su mirada azul!

Quedé como en éxtasis...
                        Con febril premura,
"¡Síguela!", gritaron cuerpo y alma al par.
...Pero tuve miedo de amar con locura,
de abrir mis heridas, que suelen sangrar,
¡y no obstante toda mi sed de ternura,
cerrando los ojos, la dejé pasar!

(De *Serenidad*)

LEOPOLDO LUGONES

DELECTACION MOROSA

La tarde con ligera pincelada
que iluminó la paz de nuestro asilo,
apuntó en su matiz crisoberilo
una sutil decoración morada.

Surgió enorme la luna en la enramada;
las hojas agravaban su sigilo,
y una araña en la punta de su hilo
tejía sobre el astro hipnotizada.

Poblóse de murciélagos el combo
cielo, a manera de chinesco biombo;
tus rodillas exangües sobre el plinto

manifestaban la delicia inerte,
y a nuestros pies un río de jacinto
corría sin rumor hacia la muerte.

(De *Los crepúsculos del jardín*)

ALMA VENTUROSA

Al promediar la tarde de aquel día,
cuando iba mi habitual adiós a darte,
fue una vaga congoja de dejarte
lo que me hizo saber que te quería.

Tu alma, sin comprenderlo, ya sabía...,
con tu rubor me iluminó al hablarte,
y al separarnos te pusiste aparte
del grupo, amedrentada todavía.

Fue silencio y temblor nuestra sorpresa,
mas ya la plenitud de la promesa
nos infundía un júbilo tan blando,

que nuestros labios suspiraron quedos...
y tu alma estremecíase en tus dedos
como si se estuviera deshojando.

(De *Las horas doradas*)

JULIO HERRERA Y REISSIG

DECORACION HERALDICA

*Señora de mis pobres homenajes
débote amor aunque me ultrajes.*

GONGORA

Soñé que te encontrabas junto al muro
glacial donde termina la existencia,
paseando tu magnífica opulencia
de doloroso terciopelo oscuro.

Tu pie, decoro del marfil más puro,
hería, con satánica inclemencia,
las pobres almas, llenas de paciencia,
que aún se brindaban a tu amor perjuro.

Mi dulce amor, que sigue sin sosiego,
igual que un triste corderito ciego
la huella perfumada de tu sombra,

buscó el suplicio de tu regio yugo,
y bajo el raso de tu pie verdugo
puse mi esclavo corazón de alfombra.

AMOR SADICO

Ya no te amaba, sin dejar por eso
de amar la sombra de tu amor distante.
Ya no te amaba, y sin embargo el beso
de la repulsa nos unió un instante...

Agrio placer y bárbaro embeleso
crispó mi faz, me demudó el semblante.
Ya no te amaba, y me turbé, no obstante,
como una virgen en un bosque espeso.

Y ya perdida para siempre, al verte
anochecer en el eterno luto,
–mudo de amor, el corazón inerte–,

huraño, atroz, inexorable, hirsuto...
¡Jamás viví como en aquella muerte,
nunca te amé como en aquel minuto!

(De *Los parques abandonados*)

ANTONIO MACHADO

XI

Yo voy soñando caminos
de la tarde. ¡Las colinas
doradas, los verdes pinos,
las polvorientas encinas!...
¿Adónde el camino irá?
Yo voy cantando, viajero
a lo largo del sendero...
—La tarde cayendo está—.
"En el corazón tenía
"la espina de una pasión;
"logré arrancármela un día:
"ya no siento el corazón."

Y todo el campo un momento
se queda mudo y sombrío,
meditando. Suena el viento
en los álamos del río.

La tarde más se obscurece;
y el camino que serpea
y débilmente blanquea,
se enturbia y desaparece.

Mi cantar vuelve a plañir:
"Aguda espina dorada,
"quién te pudiera sentir
"en el corazón clavada".

(De *Soledades*)

61

JUAN RAMON JIMENEZ

RETORNO FUGAZ

¿Cómo era, Dios mío, cómo era?
—¡Oh, corazón falaz, mente indecisa!—
¿Era como el pasaje de la brisa?
¿Como la huida de la primavera?

Tan leve, tan voluble, tan ligera
cual estival vilano...¡Sí! Imprecisa
como sonrisa que se pierde en risa...
¡Vana en el aire, igual que una bandera!

Bandera, sonreír, vilano, alada
primavera de junio, brisa pura...
¡Qué loco fue tu carnaval, qué triste!

Todo tu cambiar trocóse en nada
—¡memoria, ciega abeja de amargura!—
¡No sé cómo eras, yo que sé que fuiste!

(De *Sonetos espirituales, 1914-1915*)

DELMIRA AGUSTINI

[LA NOCHE ENTRO EN LA SALA ADORMECIDA]

La noche entró en la sala adormecida
arrastrando el silencio a pasos lentos...
Los sueños son tan quedos que una herida
sangrar se oiría. Rueda en los momentos

una palabra insólita, caída
como una hoja de otoño... Pensamientos
suaves tocan mi frente dolorida,
tal manos frescas ¡ah!... ¿por qué tormentos

misteriosos los rostros palidecen
dulcemente?... Tus ojos me parecen
dos semillas de luz entre la sombra,

y hay en mi alma un gran florecimiento
si en mí los fijas; si los bajas, siento
como si fuera a florecer la alfombra.

(De *Cantos de la mañana*)

EL INTRUSO

Amor, la noche estaba trágica y sollozante
cuando tu llave de oro cantó en mi cerradura;
luego, la puerta abierta sobre la sombra helante,
tu forma fue una mancha de luz y de blancura.

Todo aquí lo alumbraron tus ojos de diamante;
bebieron en mi copa tus labios de frescura,
y descansó en mi almohada tu cabeza fragante;
me encantó tu descaro y adoré tu locura.

¡Y hoy río si tú ríes, y canto si tú cantas;
y si tú duermes, duermo como un perro a tus plantas!
¡Hoy llevo hasta en mi sombra tu olor de primavera;

y tiemblo si tu mano toca la cerradura,
y bendigo la noche sollozante y oscura
que floreció en mi vida tu boca tempranera!

AMOR

Yo lo soñé impetuoso, formidable y ardiente;
hablaba el impreciso lenguaje del torrente;
era un mar desbordado de locura y de fuego,
rodando por la vida como un eterno riego.

Luego lo soñé triste, como un gran sol poniente
que dobla ante la noche la cabeza de fuego;
después rió, y en su boca tan tierna como un ruego
sonaba sus cristales el alma de la fuente.

Y hoy sueño que es vibrante, y suave, y riente, y triste,
que todas las tinieblas y todo el iris viste;
que, frágil como un ídolo y eterno como Dios,

sobre la vida toda su majestad levanta:
y el beso cae ardiendo a perfumar su planta
en una flor de fuego deshojada por dos...

(De *El libro blanco*)

RAMON LOPEZ VELARDE

MIENTRAS MUERE LA TARDE...

Noble señora de provincia: unidos
en el viejo balcón que ve al poniente,
hablamos tristemente, largamente,
de dichas muertas y de tiempos idos.

De los rústicos tiestos florecidos
desprendo rosas para ornar tu frente,
y hay en los fresnos del jardín de enfrente
un escándalo de aves en los nidos.

El crepúsculo cae soñoliento,
y si con tus desdenes amortiguas
la llama de mi amor, yo me contento

con el hondo mirar de tus arcanos
ojos, mientras admiro las antiguas
joyas de las abuelas en tus manos.

(De *La sangre devota*)

LA MANCHA DE PURPURA

Me impongo la costosa penitencia
de no mirarte en días y días, porque mis ojos,
cuando por fin te miren, se aneguen en tu esencia
como si naufragasen en un golfo de púrpura,
de melodía y de vehemencia.

Pasa el lunes, y el martes, y el miércoles... Yo sufro
tu eclipse ¡oh creatura solar! mas en mi duelo
el afán de mirarte se dilata
como una profecía; se descorre cual velo
paulatino; se acendra como miel; se aquilata
como la entraña de las piedras finas;
y se aguza como el llavín
de la celda de amor de un monasterio en ruinas.

Tú no sabes la dicha refinada
que hay en huirte, que hay en el furtivo gozo
de adorarte furtivamente, de cortejarte
más allá de la sombra, de bajarse el embozo
una vez por semana y exponer las pupilas,
en un minuto fraudulento,
a la mancha de púrpura de tu deslumbramiento.

En el bosque de amor, soy cazador furtivo;
te acecho entre dormidos y tupidos follajes,
como se acecha un ave fúlgida; y de estos viajes
por la espesura, traigo a mi aislamiento
el más fúlgido de los plumajes:
el plumaje de púrpura de tu deslumbramiento.

MI CORAZON SE AMERITA...

A Rafael López

Mi corazón, leal, se amerita en la sombra.
Yo lo sacara al día, como lengua de fuego
que se saca de un ínfimo purgatorio a la luz;
y al oírlo batir su cárcel, yo me anego
y me hundo en la ternura remordida de un padre
que siente, entre sus brazos, latir un hijo ciego.

Mi corazón, leal, se amerita en la sombra.
Placer, amor, dolor... todo le es ultraje
y estimula su cruel carrera logarítmica,
sus ávidas mareas y su eterno oleaje.

Mi corazón, leal, se amerita en la sombra.
Es la mitra y la válvula... Yo me lo arrancaría
para llevarlo en triunfo a conocer el día,
la estola de violetas en los hombros del alba,
el cíngulo morado de los atardeceres,
los astros, y el perímetro jovial de las mujeres.

Mi corazón, leal, se amerita en la sombra.
Desde una cumbre enhiesta yo lo he de lanzar
como sangriento disco a la hoguera solar.
Así extirparé el cáncer de mi fatiga dura,
seré impasible por el Este y el Oeste,
asistiré con una sonrisa depravada
a las ineptitudes de la inepta cultura,
y habrá en mi corazón la llama que le preste
el incendio sinfónico de la esfera celeste.

(De *Zozobra)*

ENRIQUE BANCHS

BALBUCEO

Triste está la casa nuestra,
triste, desde que te has ido.
Todavía queda un poco
de tu calor en el nido.

Yo también estoy un poco
triste desde que te has ido;
pero sé que alguna tarde
llegarás de nuevo al nido.

¡Si supieras cuánto, cuánto
la casa y yo te queremos!
Algún día cuando vuelvas
verás cuánto te queremos.

Nunca podría decirte
todo lo que te queremos:
es como un montón de estrellas
todo lo que te queremos.

Si tú no volvieras nunca,
más vale que yo me muera...;
pero siento que no quieres,
no quieres que yo me muera.

Bienquerida que te fuiste,
¿no es cierto que volverás?;
para que no estemos tristes
¿no es cierto que volverás?

(De *El cascabel del halcón*)

GABRIELA MISTRAL

AMO AMOR

Anda libre en el surco, bate el ala en el viento,
late vivo en el sol y se prende al pinar.
No te vale olvidarlo como al mal pensamiento;
¡le tendrás que escuchar!

Habla lengua de bronce y habla lengua de ave,
ruegos tímidos, imperativos de mar.
No te vale ponerle gesto audaz, ceño grave:
¡lo tendrás que hospedar!

Gasta trazas de dueño; no le ablandan excusas.
Rasga vasos de flor, hiende el hondo glaciar.
No te vale decirle que albergarlo rehúsas:
¡lo tendrás que hospedar!

Tiene argucias sutiles en la réplica fina,
argumentos de sabio, pero en voz de mujer.
Ciencia humana te salva, menos ciencia divina:
¡le tendrás que creer!

Te echa venda de lino; tú la venda toleras.
Te ofrece el brazo cálido, no le sabes huir.
Echa a andar, tú le sigues hechizada aunque vieras
¡que eso para en morir!

BALADA

El pasó con otra;
yo le vi pasar.
Siempre dulce el viento
y el camino en paz.
¡Y estos ojos míseros
le vieron pasar!

El va amando a otra
por la tierra en flor.
Ha abierto el espino;
pasa una canción.
¡Y él va amando a otra
por la tierra en flor!

El besó a la otra
a orillas del mar;
resbaló en las olas
la luna de azahar.
¡Y no untó mi sangre
la extensión del mar!

El irá con otra
por la eternidad.
Habrá cielos dulces.
(Dios quiere callar.)
¡Y él irá con otra
por la eternidad!

(De *Desolación*)

ALFONSINA STORNI

LA CARICIA PERDIDA

Se me va de los dedos la caricia sin causa,
se me va de los dedos... En el viento, al rodar,
la caricia que vaga sin destino ni objeto,
la caricia perdida, ¿quién la recogerá?

Pude amar esta noche con piedad infinita,
pude amar al primero que acertara a llegar.
Nadie llega. Están solos los floridos senderos.
La caricia perdida, rodará..., rodará...

Si en el viento te llaman esta noche, viajero,
si estremece las ramas un dulce suspirar,
si te oprime los dedos una mano pequeña
que te toma y te deja, que te logra y se va.

Si no ves esa mano, ni la boca que besa,
si es el aire quien teje la ilusión de llamar,
oh, viajero, que tienes como el cielo los ojos,
en el viento fundida, ¿me reconocerás?

(De *Languidez*)

CESAR VALLEJO

IDILIO MUERTO

Qué estará haciendo esta hora mi andina y dulce Rita
de junco y capulí;
ahora que me asfixia Bizancio, y que dormita
la sangre, como flojo cognac, dentro de mí.

Dónde estarán sus manos que en actitud contrita
planchaban en las tardes blancuras por venir;
ahora, en esta lluvia que me quita
las ganas de vivir.

Qué será de su falda de franela; de sus
afanes; de su andar;
de su sabor a cañas de Mayo del lugar.

Ha de estarse a la puerta mirando algún celaje,
y al fin dirá temblando "¡Qué frío hay... Jesús!"
Y llorará en las tejas un pájaro salvaje.

(De *Los heraldos negros*)

XV

En el rincón aquel, donde dormimos juntos
tantas noches, ahora me he sentado
a caminar. La cuja de los novios difuntos
fue sacada, o tal vez qué habrá pasado.

Has venido temprano a otros asuntos
y ya no estás. Es el rincón
donde a tu lado, leí una noche,
entre tus tiernos puntos,
un cuento de Daudet. Es el rincón
amado. No lo equivoques.

Me he puesto a recordar los días
de verano idos, tu entrar y salir,
poca y harta pálida por los cuartos.

En esta noche pluviosa,
ya lejos de ambos dos, salto de pronto...
Son dos puertas abriéndose cerrándose,
dos puertas que al viento van y vienen
sombra   a   sombra.

(De *Trilce)*

VICENTE HUIDOBRO

ALTAZOR
CANTO II
(Fragmentos)

Mujer el mundo está amueblado por tus ojos
Se hace más alto el cielo en tu presencia
La tierra se prolonga de rosa en rosa
Y el aire se prolonga de paloma en paloma

Al irte dejas una estrella en tu sitio
Dejas caer tus luces como el barco que pasa
Mientras te sigue mi canto embrujado
Como una serpiente fiel y melancólica
Y tú vuelves la cabeza detrás de algún astro

¿Qué combate se libra en el espacio?
Esas lanzas de luz entre planetas
Reflejo de armaduras despiadadas
¿Qué estrella sanguinaria no quiere ceder el paso?
En dónde estás triste noctámbula
Dadora de infinito
Que pasea en el bosque de los sueños

Heme aquí perdido entre mares desiertos
Solo como la pluma que se cae de un pájaro en la noche
Heme aquí en una torre de frío

Abrigado del recuerdo de tus labios marítimos
Del recuerdo de tus complacencias y de tu cabellera
Luminosa y desatada como los ríos de montaña
¿Irías a ser ciega que Dios te dio esas manos?
Te pregunto otra vez
El arco de tus cejas tendido para las armas de los ojos
En la ofensiva alada vencedora segura con orgullos de flor
Te hablan por mí las piedras aporreadas
Te hablan por mí las olas de pájaros sin cielo
Te habla por mí el color de los paisajes sin viento
Te habla por mí el rebaño de ovejas taciturnas
. . . .

Tengo una atmósfera propia de tu aliento
La fabulosa seguridad de tu mirada con sus constelaciones
/íntimas
Con su propio lenguaje de semilla
Tu frente luminosa como un anillo de Dios
Más firme que todo en la flora del cielo
Sin torbellinos de universo que se encabrita
Como un caballo a causa de su sombra en el aire

Te pregunto otra vez
¿Irías a ser muda que Dios te dio esos ojos?

Tengo esa voz tuya para toda defensa
Esa voz que sale de ti en latidos de corazón
Esa voz en que cae la eternidad
Y se rompe en pedazos de esferas fosforescentes
¿Qué sería la vida si no hubieras nacido?
Un cometa sin manto muriéndose de frío
Te hallé como una lágrima en un libro olvidado
Con tu nombre sensible desde antes en mi pecho
Tu nombre hecho del ruido de palomas que se vuelan
Traes en ti el recuerdo de otras vidas más altas
De un Dios encontrado en alguna parte
Y al fondo de ti misma recuerdas que eras tú
El pájaro de antaño en la clave del poeta

Sueño en un sueño sumergido
La cabellera que se ata hace el día
La cabellera al desatarse hace la noche
La vida se contempla en el olvido
Sólo viven tus ojos en el mundo
El único sistema planetario sin fatiga
Serena piel anclada en las alturas
Ajena a toda red y estratagema
En su fuerza de luz ensimismada
Detrás de ti la vida siente miedo
Porque eres la profundidad de toda cosa
El mundo deviene majestuoso cuando pasas
Se oyen caer lágrimas del cielo
Y borras en el alma adormecida
La amargura de ser vivo
Se hace liviano el orbe en las espaldas

. . . .

Mi gloria está en tus ojos
Vestida del lujo de tus ojos y de su brillo interno
Estoy sentado en el rincón más sensible de tu mirada
Bajo el silencio estático de inmóviles pestañas
Viene saliendo un augurio del fondo de tus ojos
Y un viento de océano ondula tus pupilas

Nada se compara a esa leyenda de semillas que deja
/tu presencia
A esa voz que busca un astro muerto que volver a la vida
Tu voz hace un imperio en el espacio
Y esa mano que se levanta en ti como si fuera a colgar
/soles en el aire
Y ese mirar que escribe mundos en el infinito
Y esa cabeza que se dobla para escuchar un murmullo
/en la eternidad
Y ese pie que es la fiesta de los caminos encadenados
Y esos párpados donde vienen a vararse las centellas
/del éter

Y ese beso que hincha la proa de sus labios
Y esa sonrisa como un estandarte al frente de tu vida
Y ese secreto que dirige las mareas de tu pecho
Dormido a la sombra de tus senos

Si tú murieras
Las estrellas a pesar de su lámpara encendida
Perderían el camino
¿Qué sería del universo?

(De *Altazor*)

GERARDO DIEGO

INSOMNIO

Tú y tu desnudo sueño. No lo sabes.
Duermes. No. No lo sabes. Yo en desvelo,
y tú, inocente, duermes bajo el cielo.
Tú por tu sueño y por el mar las naves.

En cárceles de espacio, aéreas llaves
te me encierran, recluyen, roban. Hielo,
cristal de aire en mil hojas. No. No hay vuelo
que alce hasta ti las alas de mis aves.

Saber que duermes tú, cierta, segura
–cauce fiel de abandono, línea pura–,
tan cerca de mis brazos maniatados.

Qué pavorosa esclavitud de isleño,
yo insomne, loco, en los acantilados,
las naves por el mar, tú por tu sueño.

(De *Alondra de verdad*)

80

LUIS PALES MATOS

EL LLAMADO

Me llaman desde allá...
larga voz de hoja seca,
mano fugaz de nube
que en el aire de otoño se dispersa.
Por arriba el llamado
tira de mí con tenue hilo de estrella,
abajo, el agua en tránsito,
con sollozo de espuma entre la niebla.
Ha tiempo oigo las voces
y descubro las señas.

Hoy recuerdo: es un día venturoso
de cielo despejado y clara tierra;
golondrinas erráticas
el calmo azul puntean.
Estoy frente a la mar y en lontananza
se va perdiendo el ala de una vela;
va yéndose, esfumándose,
y yo también me voy borrando en ella.
Y cuando al fin retorno
por un leve resquicio de conciencia
¡cuán lejos ya me encuentro de mí mismo!
¡qué mundo tan extraño me rodea!

Ahora, dormida junto a mí, reposa
mi amor sobre la hierba.
El seno palpitante
sube y baja tranquilo en la marea
del ímpetu calmado que diluye
espectrales añiles en su ojera.
Miro esa dulce fábrica rendida,
cuerpo de trampa y presa
cuyo ritmo esencial como jugando
manufactura la caricia aérea,
el arrullo narcótico y el beso
–víspera ardiente de gozosa queja–
y me digo: Ya todo ha terminado...
Mas de pronto, despierta,
y allá en el negro hondón de sus pupilas
que son un despedirse y una ausencia,
algo me invita a su remota margen
y dulcemente, sin querer, me lleva.

Me llaman desde allá...
Mi nave aparejada está dispuesta.
A su redor, en grumos de silencio,
sordamente coagula la tiniebla.
Un mar hueco, sin peces,
agua vacía y negra
sin vena de fulgor que la penetre
ni pisada de brisa que la mueva.
Fondo inmóvil de sombra,
límite gris de piedra...
¡Oh soledad, que a fuerza de andar sola
se siente de sí misma compañera!

Emisario solícito que vienes
con oculto mensaje hasta mi puerta,
sé lo que te propones
y no me engaña tu misión secreta;
me llaman desde allá,

pero el amor dormido aquí en la hierba
es bello todavía
y un júbilo de sol baña la tierra.
¡Déjeme tu implacable poderío
una hora, un minuto más con ella!

(De *Poesía*)

FEDERICO GARCIA LORCA

ELEGIA A DOÑA JUANA LA LOCA

Diciembre de 1918
(Granada)

A MELCHOR FERNÁNDEZ ALMAGRO

Princesa enamorada sin ser correspondida.
Clavel rojo en un valle profundo y desolado.
La tumba que te guarda rezuma tu tristeza
a través de los ojos que ha abierto sobre el mármol.

Eras una paloma con alma gigantesca
cuyo nido fue sangre del suelo castellano,
derramaste tu fuego sobre un cáliz de nieve
y al querer alentarlo tus alas se troncharon.

Soñabas que tu amor fuera como el infante
que te sigue sumiso recogiendo tu manto.
Y en vez de flores, versos y collares de perlas,
te dio la Muerte rosas marchitas en un ramo.

Tenías en el pecho la formidable aurora
de Isabel de Segura. Melibea. Tu canto,
como alondra que mira quebrarse el horizonte,
se torna de repente monótono y amargo.

Y tu grito estremece los cimientos de Burgos.
Y oprime la salmodia del coro cartujano.
Y choca con los ecos de las lentas campanas
perdiéndose en la sombra tembloroso y rasgado.

Tenías la pasión que da el cielo de España.
La pasión del puñal, de la ojera y el llanto.
¡Oh princesa divina de crepúsculo rojo,
con la rueca de hierro y de acero lo hilado!

Nunca tuviste el nido, ni el madrigal doliente,
ni el laúd juglaresco que solloza lejano.
Tu juglar fue un mancebo con escamas de plata
y un eco de trompeta su acento enamorado.

Y, sin embargo, estabas para el amor formada,
hecha para el suspiro, el mimo y el desmayo,
para llorar tristeza sobre el pecho querido
deshojando una rosa de olor entre los labios.

Para mirar la luna bordada sobre el río
y sentir la nostalgia que en sí lleva el rebaño
y mirar los eternos jardines de la sombra,
¡oh princesa morena que duermes bajo el mármol!

¿Tienes los ojos negros abiertos a la luz?
O se enredan serpientes a tus senos exhaustos...
¿Dónde fueron tus besos lanzados a los vientos?
¿Dónde fue la tristeza de tu amor desgraciado?
En el cofre de plomo, dentro de tu esqueleto,
tendrás el corazón partido en mil pedazos.

Y Granada te guarda como santa reliquia,
¡oh princesa morena que duermes bajo el mármol!
Eloísa y Julieta fueron dos margaritas,
pero tú fuiste un rojo clavel ensangrentado
que vino de la tierra dorada de Castilla
a dormir entre nieve y ciprerales castos.

Granada era tu lecho de muerte, Doña Juana,
los cipreses, tus cirios;
la sierra, tu retablo.
Un retablo de nieve que mitigue tus ansias,
¡con el agua que pasa junto a ti! ¡La del Dauro!

Granada era tu lecho de muerte, Doña Juana,
la de las torres viejas y del jardín callado,
la de la yedra muerta sobre los muros rojos,
la de la niebla azul y el arrayán romántico.

Princesa enamorada y mal correspondida.
Clavel rojo en un valle profundo y desolado.
La tumba que te guarda rezuma tu tristeza
a través de los ojos que ha abierto sobre el mármol.

(De *Libro de poemas)*

BALADILLA DE LOS
TRES RIOS

El río Guadalquivir
va entre naranjos y olivos.
Los dos ríos de Granada
bajan de la nieve al trigo.

¡Ay, amor
que se fue y no vino!

El río Guadalquivir
tiene las barbas granates.
Los dos ríos de Granada,
uno llanto y otro sangre.

¡Ay, amor
que se fue por el aire!

Para los barcos de vela,
Sevilla tiene un camino;
por el agua de Granada
sólo reman los suspiros.

¡Ay amor
que se fue y no vino!

Guadalquivir, alta torre
y viento en los naranjales.
Dauro y Genil, torrecillas
muertas sobre los estanques.

¡Ay, amor
que se fue por el aire!

¡Quién dirá que el agua lleva
un fuego fatuo de gritos!

¡Ay, amor
que se fue y no vino!

Lleva azahar, lleva olivas,
Andalucía, a tus mares.

¡Ay, amor
que se fue por el aire!

(De *Poema del cante jondo)*

JORGE CARRERA ANDRADE

CUERPO DE LA AMANTE
(Fragmentos)

IV

Tu cuerpo eternamente está bañándose
en la cascada de tu cabellera,
agua lustral que baja
acariciando peñas.
La cascada quisiera ser un águila
pero sus finas alas desfallecen:
agonía de seda
sobre el desierto ardiente de tu espalda.

La cascada quisiera ser un árbol,
toda una selva en llamas
con sus lenguas lamiendo
tu armadura de plata
de joven combatiente victoriosa,
única soberana de la tierra.
Tu cuerpo se consume eternamente
entre las llamas de tu cabellera.

VI

Tu cuerpo es templo de oro,
catedral del amor
en donde entro de hinojos.

Esplendor entrevisto
de la verdad sin velos:
¡Qué profusión de lirios!

¡Cuántas secretas lámparas
bajo tu piel, esferas
pintadas por el alba!

Viviente, único templo:
La deidad y el devoto
suben juntos al cielo.

VII

Tu cuerpo es un jardín, masa de flores
y juncos animados.
Dominio del amor: en sus collados
persigo los eternos resplandores.

Agua dorada, espejo ardiente y vivo
con palomas suspensas en su vuelo,
feudo de terciopelo,
paraíso nupcial, cielo cautivo.

Comarca de azucenas, patria pura
que mi mano recorre en un instante.
Mis labios en tu espejo palpitante
apuran manantiales de dulzura.

Isla para mis brazos nadadores,
santuario del suspiro:
Sobre tu territorio, amor, expiro
árbol estrangulado por las flores.

(De *Hombre planetario*)

89

LUIS CERNUDA

SI EL HOMBRE PUDIERA DECIR

Si el hombre pudiera decir lo que ama,
Si el hombre pudiera levantar su amor por el cielo
Como una nube en la luz;
Si como muros que se derrumban,
Para saludar la verdad erguida en medio,
Pudiera derrumbar su cuerpo, dejando sólo la verdad
                                      /de su amor,
La verdad de sí mismo,
Que no se llama gloria, fortuna o ambición,
Sino amor o deseo,
Yo sería aquel que imaginaba;
Aquel que con su lengua, sus ojos y sus manos
Proclama ante los hombres la verdad ignorada,
La verdad de su amor verdadero.

Libertad no conozco sino la libertad de estar preso
                                      /en alguien
Cuyo nombre no puedo oír sin escalofrío;
Alguien por quien me olvido de esta existencia mezquina,
Por quien el día y la noche son para mí lo que quiera,
Y mi cuerpo y espíritu flotan en su cuerpo y espíritu
Como leños perdidos que el mar anega o levanta
Libremente, con la libertad del amor,
La única libertad que me exalta,
La única libertad porque muero.

90

Tú justificas mi existencia
Si no te conozco, no he vivido;
Si muero sin conocerte, no muero porque no he vivido.

(De La realidad y el deseo)

CESAR MORO

BATALLA AL BORDE DE UNA CATARATA

Tener entre las manos largamente una sombra
De cara al sol
Tu recuerdo me persiga o me arrastre sin remedio
Sin salida sin freno sin refugio sin habla sin aire
El tiempo se transforma en casa de abandono
En cortes longitudinales de árboles donde tu imagen se
                                       /disuelve en humo
El sabor más amargo que la historia del hombre conozca
El mortecino fulgor y la sombra
El abrir y cerrarse de puertas que conducen al dominio
                                    /encantado de tu nombre
Donde todo perece
Un inmenso campo baldío de hierbas y de pedruscos
                                         /interpretables
Una mano sobre una cabeza decapitada
Los pies
Tu frente
Tu espalda de diluvio
Tu vientre de aluvión un muslo de centellas
Una piedra que gira otra que se levanta y duerme en pie
Un caballo encantado un arbusto de piedra un lecho de
                                           /piedra
Una boca de piedra y ese brillo que a veces me rodea
Para explicarme en letra muerta las prolongaciones

/misteriosas de tus manos que vuelven con el
/aspecto amenazante de un cuarto modesto con una
/cortina roja que se abre ante el infierno.
Las sábanas el cielo de la noche
El sol el aire la lluvia el viento
Sólo el viento que trae tu nombre

(De *La tortuga ecuestre*)

PABLO NERUDA

POEMA 15

Me gustas cuando callas porque estás como ausente,
y me oyes desde lejos, y mi voz no te toca.
Parece que los ojos se te hubieran volado
y parece que un beso te cerrara la boca.

Como todas las cosas están llenas de mi alma
emerges de las cosas, llena del alma mía.
Mariposa de sueño, te pareces a mi alma,
y te pareces a la palabra melancolía.

Me gustas cuando callas y estás como distante.
Y estás como quejándote, mariposa en arrullo.
Y me oyes desde lejos, y mi voz no te alcanza:
déjame que me calle con el silencio tuyo.

Déjame que te hable también con tu silencio
claro como una lámpara, simple como un anillo.
Eres como la noche, callada y constelada.
Tu silencio es de estrella, tan lejano y sencillo.

Me gustas cuando callas porque estás como ausente.
Distante y dolorosa como si hubieras muerto.
Una palabra entonces, una sonrisa bastan.
Y estoy alegre, alegre de que no sea cierto.

POEMA 20

Puedo escribir los versos más tristes esta noche.
Escribir, por ejemplo: "La noche está estrellada,
y tiritan, azules, los astros, a lo lejos".

El viento de la noche gira en el cielo y canta.

Puedo escribir los versos más tristes esta noche.
Yo la quise, y a veces ella también me quiso.

En las noches como ésta la tuve entre mis brazos.
La besé tantas veces bajo el cielo infinito.

Ella me quiso, a veces yo también la quería.
Cómo no haber amado sus grandes ojos fijos.

Puedo escribir los versos más tristes esta noche.
Pensar que no la tengo. Sentir que la he perdido.

Oír la noche inmensa, más inmensa sin ella.
Y el verso cae al alma como al pasto el rocío.

Qué importa que mi amor no pudiera guardarla..
La noche está estrellada y ella no está conmigo.

Eso es todo. A lo lejos alguien canta. A lo lejos.
Mi alma no se contenta con haberla perdido.

Como para acercarla mi mirada la busca.
Mi corazón la busca, y ella no está conmigo.

La misma noche que hace blanquear los mismos árboles.
Nosotros, los de entonces, ya no somos los mismos.

Ya no la quiero, es cierto, pero cuánto la quise.
Mi voz buscaba el viento para tocar su oído.

95

De otro. Será de otro. Como antes de mis besos.
Su voz, su cuerpo claro. Sus ojos infinitos.

Ya no la quiero, es cierto, pero tal vez la quiero.
Es tan corto el amor, y es tan largo el olvido.

Porque en noches como ésta la tuve entre mis brazos,
mi alma no se contenta con haberla perdido.

Aunque éste sea el último dolor que ella me causa,
y éstos sean los últimos versos que yo le escribo.

(De *Veinte poemas de amor y una canción desesperada*)

SONETO IV

Recordarás aquella quebrada caprichosa
adonde los aromos palpitantes treparon,
de cuando en cuando un pájaro vestido
con agua y lentitud: traje de invierno.

Recordarás los dones de la tierra:
irascible fragancia, barro de oro,
hierbas del matorral, locas raíces,
sortílegas espinas como espadas.

Recordarás el ramo que trajiste,
ramo de sombra y agua con silencio,
ramo como una piedra con espuma.

Y aquella vez fue como nunca y siempre:
vamos allí donde no espera nada
y hallamos todo lo que está esperando.

(De *Cien sonetos de amor*)

CARLOS OQUENDO DE AMAT

POEMA DEL MAR Y DE ELLA

Tu bondad pintó el canto de los pájaros

y el mar venía lleno de tus palabras
de puro blanca se abrirá aquella estrella
y ya no se volarán nunca las dos golondrinas de tus cejas
el viento mueve las velas como flores
yo sé que tú estás esperándome detrás de la lluvia
y eres más que tu delantal y tu libro de letras
eres una sorpresa perenne

DENTRO DE LA ROSA DEL DÍA

(De *Cinco metros de poemas*)

AURELIO ARTURO

CANCION DE LA NOCHE CALLADA

En la noche balsámica, en la noche,
cuando suben las hojas hasta ser las estrellas
oigo crecer las mujeres en la penumbra malva
y caer de sus párpados la sombra gota a gota.

Oigo engrosar sus brazos en las hondas penumbras
y podría oír el quebrarse de una espiga en el campo.

Una palabra canta en mi corazón, susurrante
hoja verde sin fin cayendo. En la noche balsámica,
cuando la sombra es el crecer desmesurado de los árboles,
me besa un largo sueño de viajes prodigiosos
y hay en mi corazón una gran luz de sol y maravilla.

En medio de una noche con rumor de floresta
como el ruido levísimo del caer de una estrella,
yo desperté en un sueño de espigas de oro trémulo
junto del cuerpo núbil de una mujer morena
y dulce, como a la orilla de un valle dormido.

Y en la noche de hojas y estrellas murmurantes,
yo amé un país y es de su limo oscuro
parva porción el corazón acerbo;

yo amé un país que me es una doncella,
un rumor hondo, un fluir sin fin, un árbol suave.

Yo amé un país y de él traje una estrella
que me es herida en el costado, y traje
un grito de mujer entre mi carne.

En la noche balsámica, noche joven y suave,
cuando las altas hojas ya son de luz, eternas...

Mas si tu cuerpo es tierra donde la sombra crece,
si ya en tus ojos caen sin fin estrellas grandes,
qué encontraré en los valles que rizan alas breves?
qué lumbre buscaré sin días y sin noches?

MADRIGAL 3

No es para ti que, al fin, estas líneas escribo
en la página azul de este cielo nostálgico
como el viejo lamento del viento en el postigo
del día más floral entre los días idos.

Una palabra vuelve, pero no es tu palabra,
aunque fuera tu aliento que repite mi nombre,
sino mi boca húmeda de tus besos perdidos,
sino tus labios vivos en los míos, furtivos.

Y vuelve, cada siempre, entre el follaje alterno
de días y de noches, de soles y sombrías
estrellas repetidas, vuelve como el celaje
y su bandada quieta, veloz y sin fatiga.

No es para ti este canto que fulge de tus lágrimas,
no para ti este verso de melodías oscuras,
sino que entre mis manos tu temblor aún persiste
y en él el fuego eterno de nuestras horas mudas.

(De *Morada al Sur*)

ENRIQUE MOLINA

A VAHINE
(pintada por Gauguin)

Negra Vahíne
tu oscura trenza hacia tus pechos tibios
baja con su perfume de amapolas,
con su tallo que nutre la luz fosforescente
y miras melancólica como el cielo te cubre
de antiguas hojas, cuyo rey es sólo
un soplo de la estación dormida en medio del viento,
donde yaces ahora, inmóvil como el cielo,
mientras sostienes una flor sin nombre,
un testimonio de la enloquecedora primavera en que
/moras

¿Conservará la sombra de tus labios
el beso de Gauguin, como una terca gota de salmuera
corroyendo hasta el fondo de tu infierno
la inocencia –el obstinado y ciego afán de tu ser–;
ya errante en la centella de los muertos,
lejana criatura del océano...?

¿Dónde labra tu tumba
el ácido marino?
Oh Vahíne, ¿dónde existes
ya sólo como piedra sobre arenas azules,

como techo de paja batido por el trópico,
como una fruta, un cántaro, una seta
que pueblan los espíritus del fuego, picada por los
/pájaros,
pura en la antología de la muerte...?

No una guirnalda de sonrisas
no un espejuelo de melosas luces,
sino una ley furiosa, una radiante ofensa
/al peso de los días
era lo que él buscaba, junto a tu piel,
junto a tus chatas fuentes de madera,
entre los grandes árboles,
cuando la soledad, la rebeldía,
azuzaban en su alma,
la apasionada fuga de las cosas.
Porque ¿qué ansía un hombre
sino sobrepujar una costumbre llena de polvo y tedio?

Ahora, Vahíne, me contemplas sola,
a través de una niebla azotada por el vuelo de tantas
/invisibles aves muertas.
Y oyes mi vida que a tus pies se esparce
como una ola, un término de espuma
extrañamente lejos de tu orilla.

(De *Pasiones terrestres*)

MIGUEL HERNANDEZ

SONETO FINAL

Por desplumar arcángeles glaciales,
la nevada lilial de esbeltos dientes
es condenada al llanto de las fuentes
y al desconsuelo de los manantiales.

Por difundir su alma en los metales,
por dar el fuego al hierro sus orientes,
al dolor de los yunques inclementes
lo arrastran los herreros torrenciales.

Al doloroso trato de la espina,
al fatal desaliento de la rosa
y a la acción corrosiva de la muerte

arrojado me veo, y tanta ruina
no es por otra desgracia ni otra cosa
que por quererte y sólo por quererte.

(De *El rayo que no cesa*)

EMILIO ADOLFO WESTPHALEN

VINISTE A POSARTE...

Viniste a posarte sobre una hoja de mi cuerpo
gota dulce y pesada como el sol sobre nuestras vidas
trajiste olor de madera y ternura de tallo inclinándose
y alto velamen de mar recogiéndose en tu mirada
trajiste paso leve de alba al irse
y escandiado incienso de arboledas tremoladas en tus
                                              /manos
bajaste de brisa en brisa como una ola asciende los días
y al fin eras el quedado manantial rodando las flores
o las playas encaminándose a una querella sin motivo
por decir si tu mano estuvo armoniosa en el tiempo
o si tu corazón era fruta de árbol o de ternura
o el estruendo callado del surtidor
o la voz baja de la dicha negándose y afirmándose
en cada diástole y sístole de permanencia y negación
viniste a posarte sobre mi copa
roja estrella y gorgorito completo
viniste a posarte como la noche llama a sus creaturas
o como el brazo termina su círculo y abarca el horario
                                              /completo
o como la tempestad retira los velos de su frente
para mirar el mundo y no equivocar sus remos
al levantar los muros y cerrar las cuevas
has venido y no se me alcanza qué justeza equivocas

104

para estarte sin levedad de huida y gravitación de planeta
orlado de madreselvas en la astrología infantil
para estarte como la rosa hundida en los mares
o el barco anclado en nuestra conciencia
para estarte sin dar el alto a los minutos subiendo las
                                                    /jarcias
y cayéndose siempre antes de tocar el timbre que llama a
                                                    /la muerte
para estarte sitiada entre son de harpa y río de escaramuza
entre serpiente de aura y romero de edades
entre lengua de solsticio y labios de tardada morosidad
                                                    /acariciando
has venido como la muerte ha de llegar a nuestros labios
con la gozosa transparencia de los días sin fanal
de los conciertos de hojas de otoño y aves de verano
con el contento de decir he llegado
que se ve en la primavera al poner sus primeras manos
                                                    /sobre las cosas
y anudar la cabellera de las ciudades
y dar vía libre a las aguas y canto libre a las bocas
de la muchacha al levantarse y del campo al recogerse
has venido pesada como el rocío sobre las flores del
                                                    /jarrón
has venido para borrar tu venida
estandarte de siglos clavado en nuestro pecho
has venido nariz de mármol
has venido ojos de diamante
has venido labios de oro

                                        (De *Abolición de la muerte*)

OSCAR CERRUTO

EL AMOR

Como un vino de guerra la tarde
se nos brinda
y en lo alto canta la alondra.
¿Para qué más?
La alondra en lo alto
y aquí abajo dos copas
colmadas por un vino de guerra.
A qué inquirir sin causa
los números del cielo
si tu piel desafía
su imperio de amapolas
si en la azulada sombra
lecho de amor
tu labio solicita
el sello que devora.
Acerbo el aire pasa
sobre tu vientre sientes
su alado fuego y es mi mano
la que pulsa la dicha
y hace cantar el oro del verano.

(De *Estrella segregada*)

PABLO ANTONIO CUADRA

MANUSCRITO EN UNA BOTELLA

Yo había mirado los cocoteros y los tamarindos
y los mangos
las velas blancas secándose al sol
el humo del desayuno sobre el cielo
del amanecer
y los peces saltando en la atarraya
y una muchacha vestida de rojo
que bajaba a la playa y subía con el cántaro
y pasaba detrás de la arboleda
y aparecía y desaparecía
y durante mucho tiempo
yo no podía navegar sin esa imagen
de la muchacha vestida de rojo
y los cocoteros y los tamarindos y los mangos,
me parecía que sólo existían
porque ella existía
y las velas blancas sólo eran blancas
cuando ella se reclinaba
con su vestido rojo y el humo era celeste
y felices los peces y los reflejos de los peces
y durante mucho tiempo quise escribir un poema
sobre esa muchacha vestida de rojo
y no encontraba el modo de describir
aquella extraña cosa que me fascinaba

y cuando se lo contaba a mis amigos se reían
pero cuando navegaba y volvía
siempre pasaba por la isla de la muchacha de vestido rojo
hasta que un día entré en la bahía de su isla
y eché el ancla y salté a tierra
y ahora escribo estas líneas y las lanzo a las olas en una
/botella
porque ésta es mi historia
porque estoy mirando los cocoteros y los tamarindos
y los mangos
las velas blancas secándose al sol
y el humo del desayuno sobre el cielo
y pasa el tiempo
y esperamos y esperamos
y gruñimos
y no llega con las mazorcas
la muchacha vestida de rojo.

(De *Cantos de Cifar*)

EDUARDO CARRANZA

AZUL DE TI

Pensar en ti es azul, como ir vagando
por un bosque dorado al mediodía:
nacen jardines en el habla mía
y con mis nubes por tus sueños ando.

Nos une y nos separa un aire blando,
una distancia de melancolía;
yo alzo los brazos de mi poesía,
azul de ti, dolido y esperando.

Es como un horizonte de violines
o un tibio sufrimiento de jazmines
pensar en ti, de azul temperamento.

El mundo se me vuelve cristalino,
y te miro, entre lámpara de trino,
azul domingo de mi pensamiento.

(De *Azul de ti)*

JOAQUIN PASOS

ESTA NO ES ELLA

Esta no es ella, es el viento,
es el aire que la llama;
es su lugar, es su hueco
vacío que la reclama.
Es sólo el aire que espera,
es la brisa que la aguarda,
pero no es ella, no es ella,
no es ella la que me habla;
es una luz en espejos,
es una sombra ocupada,
es el coche de su cuerpo.
Sólo es el coche que pasa!
Sólo es el árbol, la hoja
que la cubre y la acompaña,
es sólo su gesto que hunde
dedos de sueño en la nada.
Es el brazo que se abre,
es la mano que me llama,
pero no es ella, no es ella
aunque ésa sea su cara.
Esa es la cara del viento
ésa es la boca del aire,
esa bandada de besos
vuela dispersa y sin alas.

Para qué quiero este hueco
que le sirviera de almohada,
si a llenarlo ofrece el pecho
sólo un suspiro fantasma.
Para qué esta ausencia viva
que crece dentro del alma?
Para qué el aire, este aire
que con cara se disfraza?
Allí donde estaba un cuerpo
sólo un recuerdo se planta:
y allí donde había voces,
cadáveres de palabras...
Hay una torre de iglesia
que ha perdido sus campanas,
hay una fuente en el monte
que se ha quedado sin agua;
cerca de un rosal sin rosas
nace un día sin mañana
y en este hueco del viento
donde estuviera entregada,
sólo un vacío desnudo
en forma de una muchacha.

(De *Poemas de un joven*)

EDUARDO ANGUITA

EL VERDADERO MOMENTO

El pasajero al destello siente cruzar su halo
En el vacío lejanamente rumoroso
Y azul como si una piedra hubiera sido arrojada
Para turbar las ondas que dormían
Se dibuja la fronda de un encuentro.

Allí paseé con ella. Y con nosotros
Un aire de primavera nos seguía
Las hojas cantaban en la tarde
Jamás caería el sol y si se iba
Aún nos alumbraba.

Me cantaba *Chansons Grecques* de Ravel
Creo que a través de su rostro como a través de una hoja
Podía yo mirar el ocaso transparente
Y por su voz el tiempo se adelgazaba hasta la luz.

El fuego de la dulzura y el agua de los ojos
Eran notas en lo alto de los lejos
Por ellas podía yo descubrir el cielo
Hundir en él mi cabeza como en una madre.

Parece que el último instante fue frente al castaño
Cuando surgieron otro tiempo y otras personas

Pero lo que había ocurrido antes quedó para siempre
Lúcido y tranquilo como un estanque.

Hoy pasé por allí y por aquel instante
El momento y el lugar estaban muy lejos
Como en un grabado todo era más pequeño
Y ya no coincidían los objetos con sus imágenes.

Comprendí que ella y yo ahora puestos al margen
De esa ella y de ese yo seríamos pesados
Con un peso de inexistencia de materia acumulada
Y que lo transparente de aquel pasado era lo único
/existente.

Ni el castaño ni yo ni ella ni la tarde semejantes
Ni la canción repetida frente al mismo jardín
Podríamos jamás coincidir con el verdadero MOMENTO:
Sólo superponernos condenados a fantasear
Como los concéntricos círculos de un estanque en que
/un torpe
Arroja piedras interminablemente.

(De *Poesía entera*)

OCTAVIO PAZ

PIEDRA DE SOL
(Fragmentos)

. . . .

voy por tu cuerpo como por el mundo,
tu vientre es una plaza soleada,
tus pechos dos iglesias donde oficia
la sangre sus misterios paralelos,
mis miradas te cubren como yedra,
eres una ciudad que el mar asedia,
una muralla que la luz divide
en dos mitades de color durazno,
un paraje de sal, rocas y pájaros
bajo la ley del mediodía absorto,

vestida del color de mis deseos
como mi pensamiento vas desnuda,
voy por tus ojos como por el agua,
los tigres beben sueño en esos ojos,
el colibrí se quema en esas llamas,
voy por tu frente como por la luna,
como la nube por tu pensamiento,
voy por tu vientre como por tus sueños,

tu falda de maíz ondula y canta,
tu falda de cristal, tu falda de agua,

tus labios, tus cabellos, tus miradas,
toda la noche llueves, todo el día
abres mi pecho con tus dedos de agua,
cierras mis ojos con tu boca de agua,
sobre mis huesos llueves, en mi pecho
hunde raíces de agua un árbol líquido,

voy por tu talle como por un río
voy por tu cuerpo como por un bosque,
como por un sendero en la montaña
que en un abismo brusco se termina,
voy por tus pensamientos afilados
y a la salida de tu blanca frente
mi sombra despeñada se destroza,
recojo mis fragmentos uno a uno
y prosigo sin cuerpo, busco a tientas,

. . . .

Madrid, 1937,
en la Plaza del Angel las mujeres
cosían y cantaban con sus hijos,
después sonó la alarma y hubo gritos,
casas arrodilladas en el polvo,
torres hendidas, frentes escupidas
y el huracán de los motores, fijo:
los dos se desnudaron y se amaron
por defender nuestra porción eterna,
nuestra ración de tiempo y paraíso,
tocar nuestra raíz y recobrarnos,
recobrar nuestra herencia arrebatada
por ladrones de vida hace mil siglos,
los dos se desnudaron y besaron
porque las desnudeces enlazadas
saltan el tiempo y son invulnerables,
nada las toca, vuelven al principio,
no hay tú ni yo, mañana, ayer ni nombres,

verdad de dos en sólo un cuerpo y alma,
oh ser total...
. . . .

todo se transfigura y es sagrado,
es el centro del mundo cada cuarto,
es la primera noche, el primer día,
el mundo nace cuando dos se besan,
gota de luz de entrañas transparentes
el cuarto como un fruto se entreabre
o estalla como un astro taciturno
y las leyes comidas de ratones,
las rejas de los bancos y las cárceles,
las rejas de papel, las alambradas,
los timbres y las púas y los pinchos,
el sermón monocorde de las armas,
el escorpión meloso y con bonete,
el tigre con chistera, presidente
del Club Vegetariano y la Cruz Roja,
el burro pedagogo, el cocodrilo
metido a redentor, padre de pueblos,
el Jefe, el tiburón, el arquitecto
del porvenir, el cerdo uniformado,
el hijo predilecto de la Iglesia
que se lava la negra dentadura
con el agua bendita y toma clases
de inglés y democracia, las paredes
invisibles, las máscaras podridas
que dividen al hombre de los hombres,
al hombre de sí mismo,
                          se derrumban
por un instante inmenso y vislumbramos
nuestra unidad perdida, el desamparo
que es ser hombres, la gloria que es ser hombres
y compartir el pan, el sol, la muerte,
el olvidado asombro de estar vivos;

amar es combatir, si dos se besan
el mundo cambia, encarnan los deseos,
el pensamiento encarna, brotan alas
en las espaldas del esclavo, el mundo
es real y tangible, el vino es vino,
el pan vuelve a saber, el agua es agua,
amar es combatir, es abrir puertas,
dejar de ser fantasma con un número
a perpetua cadena condenado
por un amo sin rostro;
                              el mundo cambia
si dos se miran y se reconocen,
amar es desnudarse de los nombres:
. . . .

(De *Piedra de sol*)

NICANOR PARRA

CARTAS A UNA DESCONOCIDA

Cuando pasen los años, cuando pasen
Los años y el aire haya cavado un foso
Entre tu alma y la mía; cuando pasen los años
Y yo sólo sea un hombre que amó, un ser que se detuvo
Un instante frente a tus labios,
Un pobre hombre cansado de andar por los jardines,
¿Dónde estarás tú? ¡Dónde
Estarás, oh hija de mis besos!

(De *Poemas y antipoemas*)

GONZALO ROJAS

¿QUE SE AMA CUANDO SE AMA?

¿Qué se ama cuando se ama, mi Dios: la luz terrible de
/la vida
o la luz de la muerte? ¿Qué se busca, qué se halla, qué
es eso: amor? ¿Quién es? ¿La mujer con su hondura, sus
/rosas, sus volcanes,
o este sol colorado que es mi sangre furiosa
cuando entro en ella hasta las últimas raíces?

¿O todo es un gran juego, Dios mío, y no hay mujer
ni hay hombre sino un solo cuerpo: el tuyo,
repartido en estrellas de hermosura, en partículas fugaces
de eternidad visible?

Me muero en esto, oh Dios, en esta guerra
de ir y venir entre ellas por las calles, de no poder amar
trescientas a la vez, porque estoy condenado siempre a una,
a esa una, a esa única que me diste en el viejo paraíso.

LAS HERMOSAS

Eléctricas, desnudas en el mármol ardiente que pasa de la
/piel a los vestidos,
turgentes, desafiantes, rápida la marea,
pisan el mundo, pisan la estrella de la suerte con sus finos
/tacones
y germinan, germinan como plantas silvestres en la calle,
y echan su aroma duro verdemente.

Cálidas impalpables del verano que zumba carnicero.
/Ni rosas
ni arcángeles: muchachas del país, adivinas
del hombre, y algo más que el calor centelleante,
algo más, algo más que estas ramas flexibles
que saben lo que saben como sabe la tierra.

Tan livianas, tan hondas, tan certeras las suaves. Cacería
de ojos azules y otras llamaradas urgentes en el baile
de las calles veloces. Hembras, hembras
en el oleaje ronco donde echamos las redes de los cinco
/sentidos
para sacar apenas el beso de la espuma.

(De Contra la muerte)

MARIO FLORIAN

PASTORALA

Pastorala.
Pastorala.
Más hermosa que la luz de la nieve,
más que la luz del agua enamorada,
más que la luz bailando en los arco iris.
Pastorala.
Pastorala.

¿Qué labio de cuculí es más dulce,
qué lágrima de quena más mielada,
que tu canto que cae como la lluvia
pequeña, pequeñita, entre las flores?
Pastorala.
Pastorala.

¿Qué acento de trilla-taqui tan sentido,
qué gozo de wifala tan directo,
que descienda –amancay– a fondo de alma,
como baja a la mía tu recuerdo?
Pastorala.
Pastorala.

Yo le dije al gavilán ¡protégela!
Y a zorro y puma ¡guarden su manada!

(Y puma y gavilán y zorro nunca
volvieron a insinuar sus amenazas.)
Pastorala.
Pastorala.

Por mirar los jardines de tu manta,
por sostener el hilo de tu ovillo,
por oler las manzanas de tu cara,
por derretir tu olvido: ¡mis suspiros!
Pastorala.
Pastorala.

Por amansar tus ojos, tu sonrisa,
perdido, entre la luz de tu manada,
está mi corazón en forma de allco,
cuidándote, lamiéndote, llorándote...
Pastorala.
Pastorala.

(De *Urpi)*

122

IDEA VILARIÑO

YA NO

Ya no será
ya no
no viviremos juntos
no criaré a tu hijo
no coseré tu ropa
no te tendré de noche
no te besaré al irme
nunca sabrás quién fui
por qué me amaron otros.
No llegaré a saber
por qué ni cómo nunca
ni si era de verdad
lo que dijiste que era
ni quién fuiste
ni qué fui para ti
ni cómo hubiera sido
vivir juntos
querernos
esperarnos
estar.
Ya no soy más que yo
para siempre y tú
ya
no serás para mí

más que tú. Ya no estás
en un día futuro
no sabré dónde vives
con quién
ni si te acuerdas.
No me abrazarás nunca
como esa noche
nunca.
No volveré a tocarte.
No te veré morir.

(De *Poemas de amor*)

FERNANDO CHARRY LARA

TE HUBIERA AMADO

Te hubiera amado,
perfil solo, nube gris, nimbo del olvido.

Con el misterio de la mirada,
bajo la tormenta oscura de las palabras,
en la tristeza o puñal de cada beso,
hasta la ira y la melancolía,
te hubiera amado.

Ay, cuerpo que al amor se resiste
no ofreciendo su nocturno abandono a unos labios.
Sobre su piel la luna inútilmente llama,
llama inútil la noche
y el sol, inútil llama, lame
con una lengua sombría sus dos senos.

Te hubiera amado,
rostro donde el día toma su luz hermosa.

Frío, dolor, nube gris de siempre,
como un relámpago entre el sueño amanecías
Sonámbula y bella atravesando
una aurora.

Tarde naval sobre el azul se extiende.
En el sueño del horizonte todo se olvida.
vive tú aún, secreta existencia,
mía como el deseo que nunca se extingue.

Vive fuerte, relámpago que un día amanecías,
llama ahora de nieve.
Mírame aún, pero recuerda
que se olvida.

(De *Nocturnos y otros sueños*)

OLGA OROZCO

NO HAY PUERTAS

Con arenas ardientes que labran una cifra de fuego sobre
    el tiempo,
con una ley salvaje de animales que acechan el peligro
    desde su madriguera, con el vértigo de mirar hacia
    arriba,
cón tu amor que se enciende de pronto como una
    lámpara en medio de la noche,
con pequeños fragmentos de un mundo consagrado para
    la idolatría,
con la dulzura de dormir con toda tu piel cubriendo el
    costado del miedo,
a la sombra del ocio que abría tiernamente un abanico de
    praderas celestes,
hiciste día a día la soledad que tengo.

Mi soledad está hecha de ti.
Lleva tu nombre en su versión de piedra,
en un silencio tenso donde pueden sonar todas las
    melodías del infierno;
camina junto a mí con tu paso vacío,
y tiene como tú, esa mirada de mirar que me voy más
    lejos cada vez,
hasta un fulgor de ayer que se disuelve en lágrimas, en
    nunca.

La dejaste a mis puertas como quien abandona la heredera
    de un reino del que nadie sale y al que jamás se vuelve.
Y creció por sí sola,
alimentándose con esas hierbas que crecen en los bordes
    del recuerdo
y que en las noches de tormenta producen espejismos
    misteriosos,
escenas con que las fiebres alimentan sus mejores
    hogueras.
La he visto así poblar las alamedas con los enmascarados
    que inmolan el amor
–personajes de un mármol invencible, ciego y absorto
    como la distancia–,
o desplegar en medio de una sala esa lluvia que cae junto
    al mar,
lejos, en otra parte,
donde estarás llenando el cuenco de unos años con un
    agua de olvido.
Algunas veces sopla sobre mí con el viento del sur
un canto huracanado que se quiebra de pronto en un
    gemido en la garganta rota de la dicha,
o trata de borrar con un trozo de esperanza raída
ese adiós que escribiste con sangre de mis sueños en
    todos los cristales
para que hiera todo cuanto miro.

Mi soledad es todo cuanto tengo de ti.
Aúlla con tu voz en todos los rincones.
Cuando la nombro con tu nombre
crece como una llaga en las tinieblas.

Y un atardecer levantó frente a mí
esa copa del cielo que tenía un color de álamos mojados y
    en la que hemos bebido el vino de eternidad de cada
    día,
y la rompió sin saber, para abrirse las venas,
para que tú nacieras como un dios de su espléndido
    duelo.

Y no pudo morir
y su mirada era la de una loca.

Entonces se abrió un muro
y entraste en este cuarto con una habitación que no tiene
   salidas
y en la que está sentado, contemplándome, en otra
   soledad semejante a mi vida.

(De *Los juegos peligrosos*)

JAIME SAENZ

ANIVERSARIO DE UNA VISION

VII

Que sea larga tu permanencia bajo el fulgor de las
estrellas,
      yo dejo en tus manos mi tiempo
      –el tiempo de la lluvia
      perfumará tu presencia resplandeciente en la
vegetación.

Renuncio al júbilo, renuncio a ti: eres tú el cuerpo de
mi alma; quédate
      –yo he transmontado el crepúsculo y la
espesura, a la apacible luz de tus ojos
      y me interno en la tiniebla;
      a nadie mires,
      no abras la ventana. No te muevas:
      hazme saber el gesto que de tu boca difunde
silenciosa la brisa;
      estoy en tu memoria, hazme saber si tus manos
me acarician
      y si por ellas el follaje respira
      –hazme saber de la lluvia que cae sobre tu
escondido cuerpo,
      y si la penumbra es quien lo esconde o el
espíritu de la noche.

Hazme saber, perdida y desaparecida visión, qué era
lo que guardaba tu mirar
     —si era el ansiado y secreto don,
     que mi vida esperó toda la vida a que la muerte lo
recibiese.

(De *Aniversario de una visión*)

JAVIER SOLOGUREN

OH AMOR ASOMBROSO

El amor asombroso
he aquí que se abren las tinieblas
centelleantes
he aquí el choque y el incendio
el furor más dulce
el fuego más tierno
he aquí las lenguas de la hoguera
buscándose trenzándose auscultándose
entre el fulgurante lecho de la noche
y el rocío de la aurora creciente
he aquí el olvido y el éxtasis
el instante con su sabor sin tiempo
la doble criatura que comulga
mutuamente devorándose
hela aquí por ti derribada
por ti crucificada
por ti resucitada

(De *Un trino en la ventana vacía*)

JUAN SANCHEZ PELAEZ

RETRATO DE LA BELLA DESCONOCIDA

En todos los sitios, en todas las playas, estaré esperándote.
Vendrás eternamente altiva
Vendrás, lo sé, sin nostalgia, sin el feroz desencanto de los
    años
Vendrá el eclipse, la noche polar
Vendrás, te inclinas sobre mis cenizas, sobre las cenizas
    del tiempo perdido.
En todos los sitios, en todas las playas, eres la reina del
    universo.

¿Qué seré en el porvenir? Serás rico dice la noche irreal.
Bajo esa órbita de fuego caen las rosas manchadas del
    placer.
Sé que vendrás aunque no existas.
El porvenir: LOBO HELADO CON SU CORPIÑO DE DONCELLA
    MARITIMA.
Me empeño en descifrar este enigma de la infancia.
Mis amigos salen del oscuro firmamento
Mis amigos recluidos en una antigua prisión me hablan
Quiero en vano el corcel del mar, el girasol de tu risa
El demonio me visita en esta madriguera, mis amigos son
    puros e inermes.

Puedo detenerme como un fantasma, solicitar de mis
   antepasados que vengan en mi ayuda.
Pregunto: ¿Qué será de ti?
Trabajaré bajo el látigo del oro.
Ocultaré la imagen de la noche polar.

¿Por qué no llegas, fábula insomne?

(De *Elena y los elementos*)

ALVARO MUTIS

HIJA ERES DE LOS LAGIDAS

Hija eres de los Lágidas.
Lo proclaman la submarina definición de tu rostro,
tu piel salpicada por el mar en las escolleras,
tu andar por la alcoba
llevando la desnudez como un manto que te fuera debido.
En tus manos también está esa señal de poder,
ese aire que las sirve y obedece
cuando defines las cosas
y les indicas su lugar en el mundo.
En un recodo de los años,
de nuevo, intacto,
sin haber rozado siquiera
las arenas del tiempo,
ese aroma que escoltaba tu juventud
y te señalaba ya como auténtica heredera
del linaje de los Lágidas.
Me pregunto cómo has hecho
para vencer el cotidiano uso
del tiempo y de la muerte.
Tal vez éste sea el signo cierto
de tu origen, de tu condición de heredera
del fugaz Reino del Delta.
Cuando mis brazos se alcen
para recibir a la muerte

tú estarás allí, de nuevo, intacta,
haciendo más fácil el tránsito,
porque así serás siempre,
porque hija eres del linaje de los Lágidas.

(De *Los emisarios*)

JORGE GAITAN DURAN

SE JUNTAN DESNUDOS

Dos cuerpos que se juntan desnudos
solos en la ciudad donde habitan los astros
inventan sin reposo el deseo.
No se ven cuando se aman, bellos
o atroces arden como dos mundos
que una vez cada mil años se cruzan en el cielo.
Sólo en la palabra, luna inútil, miramos
como nuestros cuerpos son cuando se abrazan,
se penetran, escupen, sangran, rocas que se destrozan,
estrellas enemigas, imperios que se afrentan.
Se acarician efímeros entre mil soles
que se despedazan, se besan hasta el fondo,
saltan como dos delfines blancos en el día,
pasan como un solo incendio por la noche.

(De *Amantes)*

ERNESTO CARDENAL

EPIGRAMAS

Te doy, Claudia, estos versos, porque tú eres su dueña.
Los he escrito sencillos para que tú los entiendas.
Son para ti solamente, pero si a ti no te interesan,
un día se divulgarán tal vez por toda Hispanoamérica...
Y si al amor que los dictó, tú también lo desprecias,
otras soñarán con este amor que no fue para ellas.
Y tal vez verás, Claudia, que estos poemas,
(escritos para conquistarte a ti) despiertan
en otras parejas enamoradas que los lean
los besos que en ti no despertó el poeta.

*

De estos cines, Claudia, de estas fiestas,
de estas carreras de caballos,
no quedará nada para la posteridad
sino los versos de Ernesto Cardenal para Claudia
    (si acaso)
y el nombre de Claudia que yo puse en esos versos
y los de mis rivales, si es que yo decido rescatarlos
del olvido, y los incluyo también en mis versos
para ridiculizarlos.

*

Ileana: la Galaxia de Andrómeda,
a 700.000 años luz,
que se puede mirar a simple vista en una noche clara,
está más cerca que tú.
Otros ojos solitarios estarán mirándome desde Andrómeda
en la noche de ellos. Yo a ti no te veo.
Ileana: la distancia es tiempo, y el tiempo vuela.
A 200 millones de millas por hora el universo
se está expandiendo hacia la Nada.
Y tú estás lejos de mí como a millones de años.

*

Al perderte yo a ti tú y yo hemos perdido:
yo porque tú eras lo que yo más amaba
y tú porque yo era el que te amaba más.
Pero de nosotros dos tú pierdes más que yo:
porque yo podré amar a otras como te amaba a ti,
pero a ti no te amarán como te amaba yo.

(De *Epigramas*)

CARLOS GERMAN BELLI

POEMA

Nuestro amor no está en nuestros respectivos
y castos genitales, nuestro amor
tampoco en nuestra boca, ni en las manos:
todo nuestro amor guárdase con pálpito
bajo la sangre pura de los ojos.
Mi amor, tu amor esperan que la muerte
se robe los huesos, el diente y la uña,
esperan que en el valle solamente
tus ojos y mis ojos queden juntos,
mirándose ya fuera de sus órbitas,
más bien como dos astros, como uno.

(De *Poemas)*

JUAN GONZALO ROSE

MARISEL

Yo recuerdo que tú eras
como la primavera trizada de las rosas,
o como las palabras que los niños musitan
sonriendo en sus sueños.

Yo recuerdo que tú eras
como el agua que beben silenciosos los ciegos,
o como la saliva de las aves
cuando el amor las tumba de gozo en los aleros.

En la última arena de la tarde tendías
agobiado de gracia tu cuerpo de gacela
y la noche arribaba a tu pecho desnudo
como aborda la luna los navíos de vela.

Y ahora, Marisel, la vida pasa
sin que ningún instante nos traiga la alegría...

Ha debido morirse con nosotros el tiempo,
o has debido quererme como yo te quería.

(De Simple canción)

ENRIQUE LIHN

LA DESPEDIDA

¿Y qué será, Nathalie, de nosotros. Tú en mi memoria, yo
    en la tuya como esos pobres amantes que mientras se
    buscaban
de una ciudad a otra, llegaron a morir
—complacencias del narrador omnividente, tristezas de su
    ingenio— justo en la misma pieza de un hotel miserable
pero en distintas épocas del año?
Absurdo todo pensamiento, toda memoria prematura y
    particularmente dudosa
cualquier lamentación en nuestro caso;
es por una deformación profesional que me permito este
    falso aullido
ávido y cauteloso a un mismo tiempo. "Todo es triste —me
    escribes— y confuso
y yo quisiera olvidarlo todo." Pero te das incluso,
        entre paréntesis,
el lujo de cobrarme una pequeña deuda y la palabra adiós
    se diría que suena
de un modo estrictamente razonable.

El amor no perdona a los que juegan con él. No tenemos
    perdón del amor, Nathalie,
a pesar de tu tono razonable
y este último zumbido de la ironía, atrapada en sí misma,

como una cigarra por los niños.
El viento nos devuelve, a ti en Bonnieux,
a mí en un París que a cada instante rompe, contra toda
    expectativa,
sus vagas relaciones lluviosas con el sol,
el peso exacto de nuestras palabras de las que hicimos un
    mal gasto al cambiarlas por moneda liviana,
    pequeñísima,
y este negocio de vivir al día no era más que, a lo lejos,
    una bonita fachada
con angustiados gitanos en la trastienda.

El viento al que jugamos, Nathalie, mientras soplaba del
    lado de lo real, en la Camargue, nos devuelve
–extramuros de la memoria, allí donde el mar brilla por su
    ausencia
y no hay modo de estar realmente desnudo–
palmerales roídos por la arena, el sibilino rumor de una
    desolación con ecos
de voces agrias que se confunden con las nuestras.
Es la canción de los gitanos forzados
a un nuevo exilio por los caminos de Provenza
bajo ese sol del viento que se ríe a mandíbula batiente del
    verano y sus pequeños negocios.
Son historias también tristemente confusas. La diferencia
    está en que nosotros bajamos
desde el primer momento el diapasón de la nuestra;
sí, gente civilizada... guardando, claro está las debidas
    distancias
–mi desventaja, Nathalie– entre tu tribu y la mía.

Pero Lulú es testigo del Tarot; Lulú que parece haber
    nacido bajo todos los signos del zodíaco,
antes hada madrina que rigurosa vidente,
ella lo sabe todo a ciencia incierta, tu amiga.
Nada con los romanos y sus res gestae: el porvenir se lee
    bajo la inspiración

de los aerolitos, en la mano misma;
entre griegos no hay líneas decisivas: una muerte que
    dice, únicamente ella,
la última palabra de lo que un hombre fue; y el temblor
    en las manos, Nathalie,
el brillo o la humedad en los ojos, el deseo.
Lulú, Lulú, y éramos nosotros esos montes de Venus,
    viejecilla, tus huéspedes:
una amiga de toda la mitad de tu vida que se pegaba, otra
    vez, a tus faldas
en compañía de un silencioso, delirante extranjero.

Contra toda evidencia corroboro tus pronósticos:
ella y yo, querida, hicimos un largo viaje;
nos casamos en Santiago de Chile, fuimos espantosamente
    felices, sumamos nuestros hijos respectivos y aun nos
    quedó tiempo para reproducirnos con prodigalidad,
para volver a Bonnieux en compañía de tus nietos mucho
    más que legítimos.
Si nada de esto ocurrió, querida, de más está decir que lo
    tomarás tranquilamente,
digo mejor: metafísicamente.
Te habías limitado a constatar, lo sé muy bien, no la
    miseria de los hechos
sino los encantos de la verdad: ese temblor en las manos.
Tú eres más razonable que nosotros: existe una historia de
    lo que pudo ser
"n'importe où hors du monde",
te mereces, Lulú, una cita de Baudelaire,
múltiples besos en las dos mejillas,
mi adiós a una Francia con la que te confundo, la única
    eterna ojalá, viejecilla.

Ah, nosotros en cambio... ni griegos ni romanos; gente
    dejada de sus propias manos, los que cambiamos el
    disco rápidamente
por temor a que los gritos llegaran al techo,

144

tránsfugas de la tribu en la tierra de nadie, calculadores,
     jugadores y tristes por añadidura. Y confusos.
Es por una deformación profesional que me permito,
     Nathalie, mojar estos originales
con lágrimas de cocodrilo frente al espejo, escribiéndote,
tratando de sortear la duplicidad del castigo.
En mi memoria, Nathalie, y en la tuya, allí nos
     desencontraremos para siempre
–el amor no perdona a los que juegan con él–
como si de pronto el espejo te devolviera mi imagen;
trataré de pensar que habrás envejecido.

(De Poesía de paso)

145

JUAN GELMAN

UNA MUJER Y UN HOMBRE

Una mujer y un hombre llevados por la vida,
una mujer y un hombre cara a cara
habitan en la noche, desbordan por sus manos,
se oyen subir libres por la sombra,
sus cabezas descansan en una bella infancia
que ellos crearon juntos, plena de sol, de luz,
una mujer y un hombre atados por sus labios
llenan la noche lenta con toda su memoria,
una mujer y un hombre más bellos en el otro
ocupan su lugar en la tierra.

(De Gotán)

ROQUE DALTON

LA MEMORIA

Así eran las tardes de nuestra primera juventud
oíamos las Hojas Muertas, My Foolish Heart
o Sin Palabras en el Hotel del Puerto
y tú tenías un nombre claro
que sonaba muy bien en voz baja
y yo creía en los dioses de mis antiguos padres
y te contaba dulces mentiras
sobre la vida en los lejanos países que visité.

En las noches de los sábados
dábamos largos paseos sobre la arena húmeda
descalzos tomados de la mano en un hondo silencio
que sólo interrumpían los pescadores en sus
                               embarcaciones iluminadas
deseándonos a gritos felicidad.
Después regresábamos a la cabaña de Billy
y tomábamos una copa de cognac frente al fuego
sentados en la pequeña alfombra de Lurçat
y luego yo te besaba la cabellera suelta
y comenzaba a recorrer tu cuerpo con estas manos sabias
que nunca temblaron en el amor o en la batalla.

Tu desnudez surgía en la pequeña noche de la alcoba
del fuego entre las cosas de madera

como una flor extraña de todos los dones
siempre para llenarme de asombro
y llamarme a nuevos descubrimientos.

Y tu respiración eran dos ríos vecinos
y tu piel y mi piel dos territorios sin frontera
y yo en ti como la tormenta tocando la raíz de los volcanes
y tú para mí como el desfiladero llovido
para la luz del amanecer.

Y llegaba el momento en que eras sólo el mar
sólo el mar con sus peces y sus sales
para mi sed con sus rojos secretos coralinos
y yo te bebía con la generosidad del empequeñecido
otra vez el misterio de toda el agua junta
en el pequeño agujero abierto por el niño en la arena.

Ay amor y esta es la hora pocos años después
en que tu rostro comienza a hacerse débil
y mi memoria está cada vez más vacía de ti.

Tu nombre era pequeño y aparecía en una canción
de aquel tiempo.

(De Los pequeños infiernos)

148

JORGE TEILLIER

EN LA SECRETA CASA DE LA NOCHE

Cuando ella y yo nos ocultamos
en la secreta casa de la noche
a la hora en que los pescadores furtivos
reparan sus redes tras los matorrales,
aunque todas las estrellas cayeran
yo no tendría ningún deseo que pedirles.

Y no importa que el viento olvide mi nombre
y pase dando gritos burlones
como un campesino ebrio que vuelve de la feria,
ni que las madres cierren todas las puertas
porque ella y yo estamos ocultos
en la secreta casa de la noche.

Ella pasea por mi cuarto
como la sombra desnuda
de los manzanos en el muro,
y su cuerpo se enciende como un árbol de pascua
para una fiesta de ángeles perdidos.

El último tren pasa como un temporal
remeciendo las casas de madera,
las madres cierran todas las puertas
y los pescadores furtivos van a repletar sus redes

mientras ella y yo nos ocultamos
en la secreta casa de la noche.

(De *Poemas del País*
de Nunca Jamás)

ALEJANDRA PIZARNIK

SILENCIOS

silencio yo me uno al silencio
yo me he unido al silencio
y me dejo hacer
me dejo beber
me dejo decir

apuñalada por lo ausente
por la espera bastarda
renaceré a los juegos terribles
y lo recordaré todo

los náufragos detrás de la sombra
abrazaron a la que se suicidó
con el silencio de su sangre

la noche bebió vino
y bailó desnuda entre los huesos de la niebla

animal lanzado a su rastro más lejano
o muchacha desnuda sentada en el olvido
mientras su cabeza rota vaga llorando
en busca de un cuerpo más puro

luego
cuando se mueran
yo bailaré
perdida en la luz del vino
y el amante de medianoche

que hay
detrás de mis ojos
y de tus ojos
ahora que es de noche
en la sangre
y no podemos ver
el mundo frío
grande

no importa si cuando llame el amor
yo estoy muerta.
vendré
siempre vendré
si alguna vez
llama el amor

viajera de corazón de pájaro negro
tuya es la soledad a medianoche
tuyos los animales sabios que pueblan tu sueño
en espera de la palabra antigua
tuyo el amor y su sonido a viento roto

(De *El deseo de la palabra*)

EUGENIO MONTEJO

MARINA

Cuando tendida duermes a mi lado
y un tenue respirar mueve tu pecho,
me detengo a mirarte sobre el lecho
como a la orilla de un navío anclado.

Crece y decrece en ritmo sosegado
un oleaje de espumas al acecho,
mientras la noche borra a cada trecho
la nave, el muelle y el acantilado.

Sólo sé que es un barco lo que miro,
por quien mi vida ahora es menos corta
y su horizonte inmenso y sin muralla.

Un barco que a mi lado es un suspiro,
donde parto o regreso, no me importa,
porque siempre me lleva adonde vaya.

(De *El hacha de seda)*
[Sonetos de Tomás Linden]

JORGE DEBRAVO

LECHOS DE PURIFICACION

Los lechos son países deliciosos
donde sólo los seres elegidos
se pueden madurar. Desconocidos
se levantan de ellos los esposos

que los dioses protegen: silenciosos,
como después de ser purificados
con un agua divina; deslumbrados
como dulces terneros saludosos.

¡Ah, qué miedo me dan los que se alojan
en los lechos de amor y se remojan
en aguas de ternura hasta los huesos!

Qué miedo cuando surgen dulces, hondos,
transparentes y frescos hasta el fondo,
lavados con el agua de los besos...

(De *Devocionario del amor sexual*)

OSCAR HAHN

NINGUN LUGAR ESTA AQUI O ESTA AHI

Ningún lugar está aquí o está ahí
Todo lugar es proyectado desde adentro
Todo lugar es superpuesto en el espacio

Ahora estoy echando un lugar para afuera
estoy tratando de ponerlo encima de ahí
encima del espacio donde no estás
a ver si de tanto hacer fuerza si de tanto hacer fuerza
te apareces ahí sonriente otra vez

Aparécete ahí aparécete sin miedo
y desde afuera avanza hacia aquí
y haz harta fuerza harta fuerza
a ver si yo me aparezco otra vez si aparezco otra vez
si reaparecemos los dos tomados de la mano
en el espacio
           donde coinciden
                     todos nuestros lugares

CON PASION SIN COMPASION

La destrucción del ser amado por el ser amado
es una práctica común desde la antigüedad

Nos embestimos con pasión sin compasión,
y dormimos aferrados a esos cuerpos exánimes

Al amanecer
nuestras cenizas aún lloraban abrazadas

Ahora busco tu amor
en todo resto que pasa por mi puerta

(De *Mal de amor)*

CARLOS MONTEMAYOR

CITEREA

Oh Ella:
la bienevocada,
la de la furia y el arrepentimiento,
la ramera de dulzuras,
la más bella de todas las soledades
(oh Citerea: la diosa,
me lastima la dulzura,
me lastima cada resurrección, cada placer),
la desnuda, la quieta, la incesante,
la que despierta debilitada por el amor,
la sofocada, la sedienta sólo de sentir,
la de infinito lecho
                    e infinito recuerdo
amada con furia y sin embargo intacta,
la efímeramente saciada y sin embargo eterna
como la espuma del mar,
la diosa de los muslos
la diosa de la respiración
(oh mi tenacidad, mi conciencia),
la diosa de los dioses
la puta,
Citerea,
oh Ella:

¿no ves que la danza me hiere la carne, los ojos, el
/pensamiento?
Aturdido, lleno de placer,
como una flor que apenas el viento roba
despierto nuevamente ajeno a tu permanencia.
Oh Citerea, Citerea,
cuán dulce locura me despedaza y me hiere de palabras
/la carne,
el desvanecimiento en que caigo y me duelo,
a solas, en el contacto,
en la fatiga de ser yo,
diosa,
cuán dolorosamente danzas en mi alma
despintando su suelo con tus pies desnudos,
cruel como el alba,
como el sueño en que me hundo,
oh tú, la de dulce mención,
la dulcemente hallada,
la pura,
la que al desnudarse
con la mirada se viste,
oh Ella.

(De *Abril y otros poemas*)

SOBRE LOS AUTORES

Agustini, Delmira. Montevideo, Uruguay, 1886-1914. Personalidad singular y enigmática en la realidad y en la literatura, cuya biografía ha suscitado un gran interés, al que no es ajeno su dramático final: fue muerta por su ex marido, quien se suicidó a continuación. Publicó *El libro blanco* (1907), *Cantos de la mañana* (1910) y *Los cálices vacíos*, con pórtico de Rubén Darío (1913). Su obra completa fue editada en dos volúmenes en 1924.

Aldana, Francisco de. Alcántara (Cáceres), España, 1537– Alcazarquivir, Marruecos, 1578. Militar y político, luchó en Flandes y murió en el desastre de Alcazarquivir junto al rey Sebastián de Portugal. Su poesía tiene una gran variedad temática (poemas heroicos, amorosos, de meditación religiosa) y fue publicada en dos tomos en 1589 y 1591. Cervantes, Quevedo y Lope de Vega admiraron su obra, por largo tiempo descuidada después, pero que en el siglo XX ha merecido una atención crítica apreciable.

Anguita, Eduardo. Linares, Chile, 1914 – Santiago, 1992. Participó inicialmente en las experiencias creacionistas propiciadas por Huidobro, pero su trabajo derivó pronto hacia una personal concepción filosófica y teológica de la poesía y del poeta. En 1935 publicó, en colaboración con Volodia Teitelboim, una memorable *Antología de poesía chilena nueva*. Toda su producción se encuentra en el volumen *Poesía entera* (1994).

Anónimo. *Fonte frida, fonte frida,* uno de los romances líricos más difundidos en la tradición española, que combina felizmente el simbolismo amoroso y la delicadeza expresiva. Reproducimos la versión que aparece en el excelente libro de Dámaso Alonso, *Poesía de la Edad Media y poesía de tipo tradicional* (1935 y 1942).

Anónimo. *Romance de amores* es una de las piezas incluidas en el *Cancionero llamado Flor de enamorados,* publicado en Barcelona en 1562. De esta rara edición se conserva un solo ejemplar en la Biblioteca Universitaria de Cracovia. Antonio Rodríguez Moñino y Daniel Devoto lo reimprimieron en 1954 (Valencia, Editorial Castalia).

Arturo, Aurelio. Pasto, Colombia, 1906 – Bogotá, 1974. De profesión abogado. Desde 1931 publicó algunos poemas en periódicos y revistas, reunidos en *Morada al Sur* en 1963. Ese breve y único libro es una de las expresiones más logradas de la literatura colombiana contemporánea y ha ejercido "una suerte de magisterio secreto" en las letras de su país. Desde 1973 participó en el comité de redacción de la revista *Eco.*

Bécquer, Gustavo Adolfo (Gustavo Adolfo Domínguez Bastida). Sevilla, España, 1836 – Madrid, 1870. Su padre, José Domínguez Bécquer, fue estimable pintor, lo que sin duda influyó en esas preferencias de sus hijos, aunque Gustavo Adolfo se inclinó temprano hacia la literatura. En vida sólo publicó *Historia de los templos de España* (1857). Las rimas que lo han consagrado como el máximo exponente del romanticismo fueron editadas en 1871. Otros aspectos importantes de su obra literaria son sus *Leyendas* y sus numerosas crónicas periodísticas.

Banchs, Enrique. Buenos Aires, Argentina, 1888-1968. Es manifiesta su filiación simbolista inicial, pero su poesía de madurez acoge y procesa con gran finura la tradición clásica y la de los cancioneros medievales españoles. Sus libros más conocidos son *Las barcas* (1907), *El cascabel del halcón* (1909) y *La urna* (1911). No volvió a editar poesía sino tardíamente, pero participó en la actividad literaria como miembro de la Sociedad de Escritores y de la Academia Argentina de Letras.

Belli, Carlos Germán. Lima, 1927. Ha realizado un complejo experimento poético de fusiones de lenguajes y modalidades expresivas que provienen de distantes espacios literarios: una lograda alianza del rigor constructivo de la poesía tradicional y de la audacia y libertad imaginativas propiciadas por la modernidad. Algunos de sus libros: *Poemas* (1958), *Oh hada cibernética* (1961), *El pie sobre el cuello* (1964), *Sextinas y otros poemas* (1970), *En alabanza del bolo alimenticio* (1979), *Boda de la pluma y la letra* (1985), *Acción de gracias* (1992). Es miembro de la Academia Peruana de la Lengua desde 1982.

Cardenal, Ernesto. Granada, Nicaragua, 1925. Estudió Letras en la Universidad de México y en la Universidad de Columbia, Nueva York. A los 31 años entró como novicio en un monasterio trapense en Estados Unidos. Se ordenó como sacerdote en Colombia en 1965. Al triunfar la revolución sandinista en Nicaragua, fue designado Ministro de Cultura. Ha propiciado la doctrina poética conocida como "exteriorismo", de la cual es el más notable practicante. Algunos de sus libros son *Hora 0* (1960), *Epigramas* (1961), *Salmos* (1964), *El estrecho dudoso* (1966), *Homenaje a los indios americanos* (1970), *Oráculo sobre Managua* (1973).

Carranza, Eduardo. Apiay (Llanos Orientales), Colombia, 1913 – Bogotá, 1985. Figura central del grupo "Piedra y Cielo", que surgió en Colombia en 1936 inspirado por la lección poética de Juan Ramón Jiménez. Fue miembro de la Academia Colombiana de la Lengua. Por varios años desempeñó tareas diplomáticas en Chile y en España, como agregado cultural. Su producción poética, que fue considerable, incluye los libros *Azul de ti* (1952), *El olvidado y Alhambra* (1957), *Hablar soñando y otras alucinaciones* (1974). *Los pasos cantados* (1978) y el volumen *Carranza por Carranza,* editado en 1985 por María Mercedes Carranza, son excelentes antologías de su obra.

Carrera Andrade, Jorge. Quito, Ecuador, 1902-1978. Por muchos años ejerció tareas diplomáticas en España, Alemania, Francia, Inglaterra, Japón y otros países. Algunos títulos de su extensa obra poética son *El estanque inefable* (1922), *Boletines de mar y tierra* (1930), *Rol de la manzana* (1935), *La hora de las ventanas iluminadas* (1937), *Registro del mundo* (1940), *Edades poéticas, 1922-1956* (1958), *Hombre planetario* (1963). En 1976 apareció su *Obra poética completa.* El libro *La tierra siempre verde* reúne algunos de sus apreciables artículos y ensayos sobre el período colonial en Ecuador.

Casal, Julián del. La Habana, Cuba, 1863-1893. Ejerció profesionalmente el periodismo, destacándose como refinado cronista social y crítico de literatura y teatro. Su poesía y sus narraciones, influidas por el decadentismo francés, son representativas de la sensibilidad *fin de siècle.* Tres libros contienen su trabajo poético: *Hojas al viento* (1890), *Nieve* (1892) y *Bustos y rimas* (1893).

Cernuda, Luis. Sevilla, España, 1902 – Ciudad de México, 1963. Estudió en la Universidad de Sevilla. Entre 1928 y 1929 fue lector en la Universidad de Toulouse y posteriormente en las universidades de Glasgow y de Cambridge. Fue profesor en Mount Holyoke College (Estados Unidos) desde 1947, y en 1952 se estableció en México. Entre sus libros: *Perfil del aire* (1927), *Donde habite el olvido* (1934), *Como quien espera el alba* (1947), *Desolación de la quimera* (1962). *La realidad y el deseo* (1936) es el título con que se ha editado sucesivamente su obra poética. Publicó también numerosos estudios críticos.

Cerruto, Oscar. La Paz, Bolivia, 1912-1981. Se inició como periodista en La Paz, y en 1931 ingresó en la carrera diplomática. Su primer libro fue la novela *Aluvión de fuego*, (1935) sobre la guerra del Chaco, pero su trabajo literario más constante fue la poesía, desde la publicación de *Cifra de las rosas* (1957). Otras obras suyas son *Patria de sal cautiva* (1958) y *Estrella segregada* (1975). El Instituto de Cooperación Iberoamericana de Madrid publicó en 1985 el volumen *Poesía*. Cerruto fue miembro de la Academia Boliviana de la Lengua desde 1973.

Cetina, Gutierre de. Sevilla, España, *ca.* 1520 – México, *ca.* 1557. Soldado y poeta. Estudió en Sevilla, donde adquirió su formación clásica. Participó en empresas militares en Italia y Alemania; después viajó a México, donde murió violentamente. Su poesía fue influida por Ausias March, Petrarca y otros autores italianos. Escribió numerosos sonetos, canciones y epístolas, pero su éxito mayor fue la adaptación del madrigal.

Cruz, Sor Juana Inés de la (Juana de Asbaje y Ramírez). San Miguel Nepantla, México, 1651 – Ciudad de México, 1695. En 1669 hizo profesión de fe religiosa en el Convento de San Jerónimo, en el que permaneció hasta su muerte. Es figura sobresaliente de las letras hispánicas del siglo XVII y en particular de la literatura colonial hispanoamericana, en la que su obra en verso y en prosa no tiene parangón. Su vida intelectual fue extraordinariamente activa desde la infancia, según lo documenta la famosa *Respuesta a sor Filotea* (1691), importantísimo texto autobiográfico e ideológico que constituye el primer alegato en defensa del derecho de las mujeres al saber y a la participación en las tareas de la inteligencia. Escribió también autos sacramentales y comedias. El primer volumen de sus obras, con el título de *Inundación castálida*, apareció en 1689. El tomo segundo (1692) incluye el *Primero sueño*, pieza capital de la poesía barroca.

Cuadra, Pablo Antonio. Managua, Nicaragua, 1912. Se inició en el grupo de "Vanguardia", cuya revista dirigió hasta 1931. Ha participado en la fundación y dirección de las más importantes publicaciones literarias de su país: *El Pez y la Serpiente*, entre otras. También su trabajo periodístico ha sido influyente. Su vasta bibliografía incluye obras de teatro, ensayo y una sostenida producción poética: *Poemas nicaragüenses* (1934), *La tierra prometida* (1942), *El jaguar y la luna* (1959), *Cantos de Cifar* (1971), *Siete árboles contra el atardecer* (1980).

Charry Lara, Fernando. Bogotá, Colombia, 1920. Estudió Derecho en la Universidad Nacional, en la que fue director de extensión cultural desde 1943. Colaboró con poemas y ensayos en las revistas *Mito* y *Eco*, dos de las más influyentes publicaciones aparecidas en Colombia. Es miembro de la Academia Colombiana de la Lengua. Su rigurosa obra poética está contenida en los libros *Nocturnos y otros sueños* (1949), *Los adioses* (1963) y *Pensamientos del amante* (1981). *Llama de amor viva* (1986) incluye los tres títulos. Tan exigentes como su poesía son sus trabajos críticos, reunidos en *Lector de poesía* (1975) y *Poesía y poetas colombianos* (1985).

Dalton, Roque. San Salvador, El Salvador, 1935-1975. Estudió leyes en Chile y en su país, sin llegar a graduarse por circunstancias políticas que lo llevaron al exilio, primero en México y luego en Cuba, donde se radicó en 1962. En La Habana apareció su ensayo *César Vallejo* (1963) y sus libros de poemas *Los testimonios* (1964) y *Taberna y otros lugares* (1969). En 1970 publicó en Barcelona *Los pequeños infiernos*. En 1975 fue asesinado en El Salvador por una fracción disidente de la organización revolucionaria a la que pertenecía. En 1986 se editó en La Habana una *Recopilación de textos sobre Roque Dalton*.

Darío, Rubén (Félix Rubén García Sarmiento). Metapa, Nicaragua, 1867 – León, Nicaragua, 1916. Figura decisiva en la renovación poética ocurrida en el ámbito hispánico a fines del siglo XIX. *Azul...*, publicado en Chile en 1888, es un hito en el desarrollo del movimiento modernista, cuyas etapas y variadas conquistas expresivas ilustran sus libros *Prosas profanas* (1896), *Cantos de vida y esperanza* (1905) y *El canto errante* (1907). Su producción en prosa también es considerable, y contribuyó poderosamente a la transformación de la crónica periodística, la crítica literaria y el cuento. Ocasionalmente, Darío cumplió misiones diplomáticas en España y en Hispanoamérica, pero su trabajo más constante fue el periodismo. Pedro Henríquez Ureña ha comparado la influencia de su obra poética con la que Garcilaso, Lope, Góngora, Calderón y Bécquer han tenido en la literatura española.

Debravo, Jorge. Guayabo de Turrialba, Costa Rica, 1938 – San José, 1967. En su infancia y adolescencia realizó faenas campesinas, y luego fue empleado del Seguro Social, experiencias que confirmaron su convicción de poeta comprometido. *Milagro abierto* (1959), *Devocionario del amor sexual* (1963), *Poemas terrenales* (1964) y *Canciones cotidianas* (1967) son algunos de sus libros. *Antología mayor* (1974) incluye una selección de la obra publicada e inédita.

Diego, Gerardo. Santander, España, 1896 – Madrid, 1988. Realizó estudios de piano y de letras. Fue profesor de literatura y ejerció la crítica musical, literaria, de arte y de cine. En 1948 fue elegido miembro de la Real Academia Española. En su juventud participó en los movimientos ultraísta y creacionista, pero sin renunciar a su inclinación por la poesía clásica y por el neogongorismo, como lo prueba la famosa *Antología poética en honor de Góngora*, que editó en 1927. Su obra poética fue muy vasta. Con *Versos humanos* obtuvo el Premio Nacional de Literatura en 1925. Sucesivas antologías reunieron su poesía en 1941, 1958, 1965, 1969 y 1970.

Florián, Mario. Cajamarca, Perú, 1917. Su poesía acoge elementos de la tradición oral, particularmente andina, y no sólo atendiendo a temas o situaciones del ámbito rural sino también al lenguaje nativo. Algunos de sus libros: *Tono de fauna* (1940), *Noval* (1943), *Urpi* (1944), *El juglar andinista* (1951), *Escritura para ausentes* (1961), *Cantar de Ollantaytampu* (1966), *Elegía andina* (1969). Su *Obra poética escogida, 1940-1976* (1977) incluye una muestra representativa de su producción. Es profesor de Historia, doctorado en la Universidad de San Marcos.

Gaitán Durán, Jorge. Pamplona, Colombia, 1924 – Pointe-à-Pitre, Antillas Francesas, 1962. Poeta y ensayista; fue además un extraordinario animador cultural: su revista *Mito* (1955-1962) tuvo una enorme proyección continental en su tiempo. Murió en un accidente aéreo. Obra poética: *Insistencia en la tristeza* (1946), *Presencia del hombre* (1947), *Asombro* (1951), *Amantes* (1959), *Si mañana despierto* (1961).

García Lorca, Federico. Fuente Vaqueros (Granada), España, 1898 – Granada, 1936. Uno de los escritores más conocidos y estudiados de la generación de 1927. Desde 1919 residió en Madrid, donde inició su trabajo teatral en 1920, y en 1921 su obra lírica con *Libro de poemas*. Su producción en este campo fue fecunda y exitosa, y no sólo por el original tratamiento del tema andaluz en *Romancero gitano* (1933). Igualmente considerable fue la proyección de su teatro, que entendió como "poesía dramática". El comienzo de la guerra civil lo sorprendió en Granada, donde fue ejecutado por las fuerzas nacionalistas que ocupaban la ciudad.

Garcilaso de la Vega. Toledo, España, 1501 – Niza, Francia, 1536. Exponente ejemplar de la figura del cortesano renacentista, cuyos ideales –armas y letras– cumplió cabalmente. Participó en acciones militares junto a Carlos V, y murió en una de ellas. Su obra poética es la expresión más lograda de una nueva norma lingüística, debida a la influencia italiana en España, que se resume en los términos de *naturalidad y selección*. Sus poemas se editaron por primera vez en 1543, junto con los de Juan Boscán. Entre las ediciones modernas es muy recomendable la de Elias L. Rivers (Castalia, 1964, 1981).

Gelman, Juan. Buenos Aires, 1930. Durante doce años vivió exiliado en Europa, y en ese período desempeñó trabajos de traductor y periodista. Después de un breve regreso a su país, se ha establecido en México. "Laborioso y tenaz interrogatorio de la realidad", se ha dicho de su obra poética, iniciada en 1956 con *Violín y otras cuestiones*. Los numerosos libros siguientes son fieles a esa constante, enriquecida con la puesta en práctica de diversos procedimientos de composición y escritura: intertextualidad, heteronimia, elaboración de las citas, recurso al neologismo, etc. Una de las aventuras más sorprendentes de la literatura hispanoamericana actual, que puede empezar a recorrerse en los volúmenes *Obra poética* (1975) e *Interrupciones I* y *II* (1988).

Gómez de Avellaneda, Gertrudis. Puerto Príncipe (Camagüey), Cuba, 1814 – Sevilla, España, 1873. Vivió desde los 22 años en España, donde participó activamente en la escena literaria. Escribió numerosas novelas históricas y tragedias románticas. Los seis volúmenes de sus *Obras literarias, dramáticas y poéticas* aparecieron en Madrid, entre 1869 y 1871.

Góngora, Luis de Argote y. Córdoba, España, 1561-1627. Hijo de Francisco de Argote, Consultor y Juez de bienes confiscados de la Inquisición, y de Leonor de Góngora, cuyo apellido antepuso al paterno desde 1582. Es la figura central del barroco hispánico, que ha llegado a identificarse con su nombre. Cultivó variados géneros poéticos, con igual genio verbal: letrillas y romances líricos y burlescos, villancicos, canciones, décimas, sonetos. Sus poemas mayores –*Fábula de Polifemo y Galatea* (1612) y *Soledades* (1613)– originaron la llamada revolución culterana, de enorme influencia en el desarrollo de la poesía castellana. Para una cabal comprensión de la lengua poética de Góngora son fundamentales los estudios de Dámaso Alonso (1935, 1955, 1967).

Gutiérrez Nájera, Manuel. Ciudad de México, 1859-1895. Desde los 16 años desempeñó trabajos periodísticos en diarios y revistas, y logró imponer un estilo distinguido y elegante en la crónica social y cultural. En este aspecto, como en su escritura poética y narrativa, cumplió su declarado propósito de "cruzar" el pensamiento francés y la forma española, con lo que contribuyó a abrir el espacio a las nuevas corrientes modernistas. Publicó sus *Cuentos frágiles* en 1883, pero sus *Poesías* aparecieron póstumamente (1896).

Hahn, Oscar. Iquique, Chile, 1938. Es profesor de Literatura Hispanoamericana en la Universidad de Iowa. Entre 1978 y 1988 fue co-editor del *Handbook of Latin American Studies* de la Biblioteca del Congreso de Washington. Sus libros de poesía son *Arte de morir* (1977), *Mal de amor* (1981), *Imágenes nucleares* (1983), *Estrellas fijas en un cielo blanco* (1989) –reunidos en el volumen *Tratado de sortilegios* (1992)– y *Versos robados* (1995). Es miembro correspondiente de la Academia Chilena de la Lengua desde 1991. Ha publicado también importantes trabajos sobre el cuento fantástico hispanoamericano de los siglos XIX y XX y una colección de ensayos: *Texto sobre texto* (1984).

Hernández, Miguel. Orihuela (Alicante), España, 1910 – Alicante, 1942. Una de las principales figuras de la literatura española contemporánea, como poeta y autor teatral. En su niñez y adolescencia campesinas realizó trabajos de pastoreo, y adquirió su notable cultura literaria como autodidacta. En 1933 publicó su primer libro, *Perito en lunas*, y en 1936 *El rayo que no cesa*, una de sus obras más significativas. Participó en la guerra civil del lado de la República y, tras largo padecimiento, murió en la cárcel. Sus últimos escritos, de gran intensidad, fueron publicados póstumamente: *Cancionero y romancero de ausencias*, entre otros.

Herrera, Fernando de. Sevilla, España, 1534-1597. Poeta y erudito, autor de *Anotaciones a Garcilaso* (1580). Fue beneficiado de una parroquia de su ciudad, aunque no llegó a ordenarse sacerdote. Un acontecimiento principal en su vida fue su amor imposible por Leonor de Milán, esposa del conde de Gelves, en cuyo palacio se reunía una tertulia de literatos. Un año después de la muerte de la condesa publicó una selección de su obra (1582). Escribió también poesía heroica, celebratoria de sucesos y personajes de la época.

Herrera y Reissig, Julio. Montevideo, Uruguay, 1875-1910. Frente a las concepciones poéticas imperantes a comienzos de siglo, su obra se caracteriza por una decidida voluntad desacralizadora: lo lúdico, la distancia irónica y la parodia tienen un lugar central en esta poesía audaz, que no pretende reproducir la realidad sino oponerse a ella como pura figuración verbal. Las consecuencias de ese intento han sido fecundas para el desarrollo de las ideas poéticas en Hispanoamérica, algo que advirtieron los poetas antes que la crítica. Sólo alcanzó a disponer el libro *Los peregrinos de piedra* (1910), aunque su publicación fue póstuma, como el resto de su obra.

Huidobro, Vicente. Santiago, 1893 – Cartagena (Valparaíso), Chile, 1948. Con los poemas de la plaquette *El espejo de agua* (1916) inició la práctica de la doctrina creacionista, que había empezado a esbozar en conferencias y en el prólogo a su libro *Adán*. Por ese tiempo se estableció en París, donde colaboró activamente en publicaciones vanguardistas: *Nord-Sud, Dadá.* Desde *Poemas árticos* y *Ecuatorial* (1918), y luego con *Altazor* y *Temblor de cielo* (1931), su poesía ha tenido una gran influencia en España e Hispanoamérica: "Es el oxígeno invisible de nuestra poesía", ha dicho Octavio Paz. No menos importante, aunque poco estudiados, son sus libros últimos y su obra narrativa.

Jiménez, Juan Ramón. Moguer (Huelva), España, 1881 – San Juan, Puerto Rico, 1958. Publicó sus primeros poemas en Madrid entre 1898 y 1899, y poco después se relacionó con Rubén Darío y con otros escritores modernistas. En 1914 apareció *Platero y yo,* libro de prosa lírica que ha tenido una enorme difusión. Su trabajo poético inicial estuvo vinculado al simbolismo, de donde deriva su concepción de una poesía esencial o pura, de gran influencia en las letras hispánicas de este siglo. En 1956 recibió el Premio Nobel de Literatura.

Lihn, Enrique. Santiago, Chile, 1929-1988. Uno de los escritores relevantes de su país. Estudió dibujo y pintura en la Escuela de Bellas Artes de la Universidad de Chile. Colaboró en publicaciones especializadas y en 1965 hizo estudios de Museología en Europa, como becario de la UNESCO. Desde 1972 fue profesor de literatura en el Departamento de Estudios Humanísticos (Universidad de Chile). Entre sus numerosos libros de poesía: *La pieza oscura* (1963), *Poesía de paso* (1966), *La musiquilla de las pobres esferas* (1969), *A partir de Manhattan* (1979), *Al bello aparecer de este lucero* (1983) y un impresionante libro final, *Diario de muerte,* editado en 1989. Publicó también novelas: *La orquesta de cristal* (1976) y *El arte de la palabra* (1980); cuentos: *Agua de arroz* (1964) y ensayos sobre literatura y arte.

López Velarde, Ramón. Jerez (Zacatecas), México, 1888 – Ciudad de México, 1921. Inició sus estudios de leyes en 1908, cuando también empezaba a colaborar en publicaciones de provincia. En 1914 se estableció en la capital, donde ejerció como abogado y como profesor de literatura. Publicó dos libros de poemas: *La sangre devota* (1916) y *Zozobra* (1919). *El son del corazón* apareció póstumamente (1932). Su singular escritura, que mina desde adentro el sistema expresivo tradicional, fue decisiva en la transformación de esa estética y en el comienzo de la poesía moderna en México y en Hispanoamérica.

Lugones, Leopoldo. Río Seco (Córdoba), Argentina, 1874 – Isla del Tigre (Buenos Aires), 1938. Exponente mayor del modernismo en Argentina. Sus intereses culturales fueron enciclopédicos (literatura, ciencia, historia, política, lingüística, religiones) y ellos se manifiestan en su obra, que fue igualmente muy vasta. *Las fuerzas extrañas* (1906) contiene algunos de los cuentos más logrados de la literatura fantástica hispanoamericana. En su poesía exploró diversas opciones temáticas y estilísticas: la expresión profético-visionaria (*Las montañas del oro*, 1897), el refinamiento parnasiano y simbolista (*Los crepúsculos del jardín*, 1905), la audacia irónica e imaginativa (*Lunario sentimental*, 1907), el registro de asuntos y personajes de la realidad nacional (*Poemas solariegos,* 1928), etc.

Machado, Antonio. Sevilla, España, 1875 – Collioure, Francia, 1939. Por varios años enseñó francés en Soria. Posteriormente estudió filosofía y profesó en Segovia desde 1919. En 1927 fue elegido miembro de la Real Academia Española. Obra poética: *Soledades* (1903), *Soledades, galerías y otros poemas* (1907), *Campos de Castilla* (1912), *Nuevas canciones* (1924), *La tierra de Alvargonzález* y *Canciones del Alto Duero* (1938). Importantes trabajos de crítica y ensayo en *Juan de Mairena* (1936) y *Los complementarios y otras prosas póstumas* (1957).

Martí, José. La Habana, 1853 – Dos Ríos, Cuba, 1895. Es una de las figuras principales de la historia literaria y política de Hispanoamérica en el siglo XIX, cuya obra en prosa y verso lleva a su culminación una visión romántica de la realidad a la vez que inicia la escritura modernista. La bibliografía suscitada por su vida y su pensamiento es enorme. *Ismaelillo* (1882) y *Versos sencillos* (1891) son los dos libros de poesía publicados en vida de Martí. Los *Versos libres* sólo fueron editados en 1913.

Medrano, Francisco de. Sevilla, España, 1570-1607. Ingresó en la Compañía de Jesús en 1584, orden que abandonó en 1602, después de una prolongada permanencia en Salamanca. Vivió en Sevilla sus últimos años, dedicado a las letras. Sus poesías se publicaron póstumamente en Palermo (1617), como parte del volumen *Remedios de amor* de Pedro Venegas de Saavedra. Su vida y su obra han sido estudiadas por Dámaso Alonso, quien publicó en 1958 una edición crítica de su poesía en colaboración con Stephen Reckert.

Mistral, Gabriela (Lucila Godoy Alcayaga). Vicuña, Chile, 1889 – Hempstead, Nueva York, 1957. En 1905 comenzó a ejercer tareas pedagógicas, que la llevaron a distintos lugares del país hasta 1922. Ese año fue invitada por el gobierno de México para colaborar en las reformas educacionales propiciadas por José Vasconcelos, Secretario de Educación. Como poeta se dio a conocer nacionalmente con los "Sonetos de la muerte", premiados en los Juegos Florales de Santiago, en 1914. Su primer libro, *Desolación,* fue editado en Nueva York por el Instituto de las Españas (1922). Los libros siguientes fueron *Tala* (1938) y *Lagar* (1954). Fue cónsul de Chile en Madrid, Lisboa, Petrópolis (Brasil), Nápoles y California. En 1945 le fue otorgado el Premio Nobel de Literatura.

Molina, Enrique. Buenos Aires, Argentina, 1910-1997. Principal exponente del surrealismo en Argentina. A esa influencia literaria, tan productiva en su caso, se suma la de una rica experiencia vital: en su juventud fue marino y como tripulante de barcos mercantes recorrió distintos lugares. Su producción poética configura un corpus singular en la literatura hispanoamericana: *Las cosas y el delirio* (1941), *Pasiones terrestres* (1946), *Costumbres errantes o la redondez de la tierra* (1951), *Amantes antípodas* (1961), *Fuego libre* (1962), *Las bellas furias* (1966), *Los últimos soles* (1980), entre otros libros y volúmenes antológicos. En 1973 publicó una novela notable: *Una sombra donde sueña Camila O'Gorman*.

Montejo, Eugenio (nombre literario de Eugenio Hernández). Valencia, Venezuela, 1938. Poeta, narrador y ensayista de palabra ejemplarmente vigilada. *Terredad* (1978), *Trópico absoluto* (1982), *Alfabeto del mundo* (1988) y *Adiós al siglo XX* (1992) son algunos de sus libros de poesía. *El taller blanco* (1983) reúne sugestivos ensayos sobre poetas del siglo XX: Cavafis, A. Machado, Lucian Blaga, entre otros.

Montemayor, Carlos. Parral (Chihuahua), México, 1947. Estudió lenguas clásicas y modernas, y ha realizado numerosas traducciones del griego, latín y portugués. En este aspecto deben mencionarse su edición de la poesía completa de Safo y la *Antología de la poesía griega del siglo XX*, esta última en colaboración con Rigas Kappatos. Es miembro de la Academia Mexicana de la Lengua. Como ensayista es autor de *Los dioses perdidos* (1979) y *Tres contemporáneos* (1981). *Abril y otras estaciones* (1989) reúne su obra poética desde 1977. *Memoria del verano* es de 1990. Una de sus publicaciones más recientes es la novela *Guerra en el paraíso* (1991).

Moro, César (Alfredo Quíspez Asín). Lima, 1903-1956. Entre 1925 y 1933 residió en Francia y trabajó en contacto con el movimiento surrealista, cuya estética asumió plenamente. A su regreso al Perú, y luego en México –donde se estableció por diez años– realizó una intensa tarea como poeta y pintor, aunque su oficio más significativo fue el primero. La mayor parte de su poesía está escrita en francés.

El libro póstumo *La tortuga ecuestre* (1957) reúne su obra poética en español.

Mutis, Alvaro. Bogotá, Colombia, 1923. Poeta y narrador. Hizo sus primeros estudios en Bruselas, y los continuó por algunos años en Bogotá, donde desempeñó desde temprano diversos trabajos, especialmente en publicidad comercial. En 1956 se estableció en México. Sus primeros poemas aparecieron en 1948: *La balanza* (en colaboración con Carlos Patiño), *Los elementos del desastre* (1953), *Los trabajos perdidos* (1965), *Caravansary* (1981), *Los emisarios* (1985), *Crónica regia* y *Alabanza del reino* (1985) y *Un homenaje y siete nocturnos* (1987) han sido reunidos en 1988 en *Summa de Magroll el Gaviero*, editado por el Fondo de Cultura Económica. Paralelamente a su trabajo poético ha ido realizando una considerable y fascinante obra narrativa. En 1974 obtuvo el Premio Nacional de Letras de Colombia.

Navarrete, Fray Manuel de. Zamora (Michoacán), México, 1768-1809. Se inició literariamente dentro del neoclasicismo, y en general fue fiel a esas preferencias, pero en su última etapa anticipó ciertos tonos de la sensibilidad prerromántica. Sus poemas sobre temas sagrados y profanos fueron publicados en 1823 con el título de *Entretenimientos poéticos*.

Neruda Pablo (Neftalí Reyes Basoalto). Parral, Chile, 1904 – Santiago, 1973. Ha sido el poeta hispanoamericano más influyente de este siglo. Los diversos momentos de su poesía están señalados por libros que son capitales en el proceso de la literatura en lengua castellana: *Veinte poemas de amor y una canción desesperada* (1924), *Residencia en la tierra* (1933 y 1935) *Canto general* (1950), los libros de las *Odas elementales* (1954, 1956 y 1957), *Estravagario* (1958), los cinco volúmenes de *Memorial de Isla Negra* (1964) y las numerosas publicaciones póstumas. Su actividad pública y política fue también considerable. En 1971 recibió el Premio Nobel de Literatura. Los libros de Amado Alonso, Margarita Aguirre, Emir Rodríguez Monegal, Volodia Teitelboim y Hernán Loyola son excelentes guías para el estudio de su obra.

Nervo, Amado. Tepic (Nayarit), México, 1870 – Montevideo, 1919. Inició estudios religiosos, que no continuó, y en 1894 se estableció en la Ciudad de México. Colaboró en la *Revista Azul*, de Gutiérrez Nájera, y años después en la *Revista Moderna*, las dos publicaciones mexicanas más importantes del modernismo. En 1905 ingresó en la carrera diplomática. Su actividad literaria fue incesante, tanto en verso como en prosa: narración, crónica, ensayo, crítica, notas de viaje y poemas conforman una bibliografía que suma 29 volúmenes de sus *Obras completas* (Madrid, 1920-1928). *Serenidad* (1914) y *La amada inmóvil* (1920), libro que por su voluntad fue editado póstumamente, sobresalen en su abundante producción poética.

Oquendo de Amat, Carlos. Puno, Perú, 1905-Navacerrada, España, 1936. Figura casi legendaria de la literatura peruana, desaparecida en los años de la guerra civil española. En 1927 publicó su único libro, *Cinco metros de poemas*: en efecto, era un desplegable que correspondía cercanamente a esa medida. En su poesía la inclinación experimental de la vanguardia coexiste con preferencias de tipo nativista, en las que encuentran su sitio la expresión evocativa y la tonalidad sentimental.

Orozco, Olga. Toay (La Pampa), Argentina, 1920. Estudió en la Facultad de Filosofía y Letras de la Universidad de Buenos Aires, e integró luego el grupo de colaboradores de la revista *Canto*. A su primer libro, *Desde lejos* (1946), siguieron *Las muertes* (1951), *Los juegos peligrosos* (1962), *Museo salvaje* (1974), *Cantos a Berenice* (1977), *Mutaciones de la realidad* (1979). Ha escrito relatos, obras dramáticas, artículos críticos y notas periodísticas. Varios libros antológicos han contribuido a difundir su producción poética: *Veintinueve poemas* (Caracas, 1975), *Obra poética* (1979) y *Páginas de Olga Orozco seleccionadas por la autora* (1984), con interesante estudio preliminar de Cristina Piña. También ha traducido numerosas obras dramáticas del francés y del italiano.

Palés Matos, Luis. Guayama, Puerto Rico. 1898 – San Juan, 1959. Con el escritor José I. de Diego Padró fundó en 1921 un movimiento poético de ruptura llamado "diepalismo"; pero con la publicación de su libro *Tuntún de pasa y grifería* (1937) se orientó hacia una poesía de tema y expresión afroantillanos. Fue ésta una vertiente importante de su trabajo, que tuvo también otras logradas manifestaciones. *Poesía* (1957) recoge casi toda su obra, desde *Azaleas* (1915).

Parra Nicanor. San Fabián de Alico (Chillán), Chile, 1914. Estudió matemáticas en la Universidad de Chile, y luego se especializó en física en Brown University y en la Universidad de Oxford. En 1937 publicó *Cancionero sin nombre*, en el que ya se advierten las manifestaciones iniciales de una actitud transgresora que iba a culminar en 1954 con *Poemas y antipoemas,* libro capital en la literatura hispanoamericana contemporánea. Su renovadora propuesta (en la concepción de la poesía y del poema y en su exploración de otras posibilidades expresivas) se ha radicalizado aún más en *Versos de salón* (1962), *Artefactos* (1972) y *Sermones y prédicas del Cristo de Elqui* (1977 y 1979). En 1991 recibió en México el Premio Juan Rulfo.

Pasos, Joaquín. Granada, Nicaragua, 1914-Managua, 1947. Participó en el grupo de "Vanguardia", junto con José Coronel Urtecho y Pablo Antonio Cuadra. Trabajó en diversas publicaciones, y alcanzó popularidad con sus colaboraciones humorísticas; por sus sátiras contra Somoza fue encarcelado más de una vez. Su obra poética fue publicada después de su muerte: la antología *Breve suma* (1947) y el volumen *Poemas de un joven* (1962), dispuesto por Ernesto Cardenal y editado por el Fondo de Cultura Económica.

Paz, Octavio, Mixcoac, D. F, México, 1914. Uno de los escritores contemporáneos más significativos de las letras hispánicas. En 1990 obtuvo el Premio Nobel de Literatura. Inició su obra poética a los 19 años (*Luna silvestre*, 1933), y desde entonces su trabajo ha sido tan incesante como riguroso en poesía y ensayo, y también en memorables empresas culturales. *Libertad bajo palabra* (1949), *Piedra de sol* (1957), *La estación violenta* (1957), *Salamandra* (1962), *Ladera Este* (1969), *Vuelta* (1976), *Arbol adentro* (1987) y la selección *El fuego de cada día* (1989) son algunos de sus libros poéticos capitales. *El laberinto de la soledad* (1950) y *El arco y la lira* (1956) ilustran dos direcciones de su provocativo y fascinante trabajo ensayístico, en cuyo ámbito deben mencionarse *Cuadrivio* (1965), *Posdata* (1970), *Los hijos del limo* (1974), *Sor Juana Inés de la Cruz o las trampas de la fe* (1982), *La otra voz* (1990). En los últimos años ha fundado y dirigido las influyentes y orientadoras revistas *Plural* (en su etapa 1971–julio 1976) y *Vuelta* (desde 1976).

Pizarnik, Alejandra. Buenos Aires, Argentina, 1936-1972. Estudió filosofía y letras en la Universidad de Buenos Aires. De 1960 a 1964 vivió en París, donde trabajó en diversas empresas editoriales. Tradujo al español autores tan significativos como H. Michaux, A. Artaud y A. Cesaire. Intensidad y condensación expresiva caracterizan su poesía publicada en *La tierra más ajena* (1955), *La última inocencia* (1956), *Las aventuras perdidas* (1958), *Arbol de Diana* (1962), *Los trabajos y las noches* (1965), *Extracción de la piedra de locura* (1968), *El infierno musical* (1971). Después de su suicidio se han publicado la antología *El deseo de la palabra* (1975) y *Textos de sombra y últimos poemas* (1982), inéditos en verso y en prosa ordenados por Olga Orozco y Ana Becciu.

Quevedo y Villegas, Francisco Gómez de. Madrid, 1580-Villanueva de los Infantes, España, 1645. Poeta y prosista, participó también en importantes actividades políticas. Fue secretario de Felipe IV desde 1632, pero a causa de sus desavenencias con el conde duque de Olivares estuvo en prisión entre 1639 y 1643. En su producción en prosa se cuentan obras políticas, ascéticas, filosóficas y morales, festivas, satíricas y la famosa novela picaresca *Historia de la vida del Buscón* (1626). Su poesía, que con la de Góngora y Lope de Vega es la máxima expresión de la lírica del siglo XVII, fue publicada después de su muerte: *El Parnaso español, monte en dos cumbres dividido* (1648) y *Las tres musas últimas castellanas* (1670). Una de las mejores ediciones modernas es la de José Manuel Blecua.

Rojas, Gonzalo. Lebu, Chile, 1917. Fue profesor de literatura en la Universidad de Concepción. Entre sus realizaciones culturales más notables está la organización y dirección de los Encuentros Nacionales e Internacionales de Escritores, realizados en su Universidad en los años 1958, 1960 y 1962. El último de esos Encuentros marca el comienzo de la gran difusión de la literatura hispanoamericana. Su influyente trabajo poético empezó en 1948 con *La miseria del hombre. Contra la muerte* (1964), *Oscuro* (1977), *Del relámpago* (1984), *Materia de testamento* (1988) y *Las hermosas* (1991) son algunos de sus libros principales. En 1992 recibió el Premio de Poesía Reina Sofía, de España, y el Premio Nacional de Literatura de Chile.

Rose, Juan Gonzalo. Tacna, Perú, 1928 – Lima, 1983. Su primer libro, *La luz armada*, apareció en México en 1954 con prólogo de León Felipe. Las publicaciones siguientes mostraron variadas direcciones de su quehacer, algunas tan sugestivas como el trabajo intertextual de *Informe al rey y otros libros secretos* (1969), en que procesa novedosamente textos y situaciones de la historia. Su *Obra poética* fue editada en 1974, con prólogo de Alberto Escobar. Por ese tiempo empezó a escribir también letras para canciones, que tuvieron una gran difusión.

Ruiz, Juan, Arcipreste de Hita. España, *ca.* 1295 – *ca.* 1353. Son muy escasas las noticias que existen para trazar una biografía del autor del *Libro de buen amor*, y las que hay proceden del propio poema. Se lo ha supuesto nacido desde Alcalá de Henares a algún lugar del antiguo *Al-Andalus.* Su libro, que se conservó en tres manuscritos de fines del siglo XIV, es una pieza fundamental de la literatura española y su influencia ha sido decisiva en el desarrollo no sólo de la poesía sino también de la prosa, atendiendo a la genial creación de personajes como la Trotaconventos, que prefigura a Celestina y sus avatares futuros. Las interpretaciones sobre este singular tratado de amor han sido múltiples, pero su extraordinaria riqueza nunca ha dejado de fascinar y sorprender novedosamente al lector.

Saenz, Jaime. La Paz, Bolivia, 1921 – 1986. Poeta y prosista que desarrolló su escritura a partir de una concepción del artista como místico y alquimista, idea que subyace a la dimensión visionaria y al tono envolvente de su discurso. Entre sus libros de poesía: *El escalpelo* (1955), *Muerte por el tacto* (1957), *Aniversario de una visión* (1960), *Visitante profundo* (1964), *El frío* (1967), *Recorrer esta distancia* (1973), *Bruckner* (1978), *La noche* (1984); en prosa, la novela *Felipe Delgado* (1979) y los imaginativos relatos biográficos y autobiográficos *Vidas y muertes* (1968) y *La piedra imán* (1989).

Sánchez de Badajoz, Garcí. (¿Ecija, Sevilla, España, 1460-1526?). Uno de los poetas del *Cancionero General,* la más importante colección en su género, reunida por Hernando del Castillo y publicada en Valencia en 1511. Según algunos testimonios de la época, cierta pasión amorosa llevó a este poeta a la locura, lo que le ha conferido una legendaria celebridad. Sus *Lamentaciones de amores, Infierno de* *amor*, y sobre todo la composición "enderezada a su amiga recontando un sueño que soñó", obtuvieron gran éxito en su tiempo y se imprimieron en pliegos sueltos.

Sánchez Peláez, Juan. Altagracia de Orituco, Venezuela, 1922. Vivió por un tiempo en Chile, París y Nueva York. Su obra, de clara filiación surrealista, cuenta entre las experiencias más renovadoras de la poesía venezolana. Es autor de *Elena y los elementos* (1951), *Animal de costumbres* (1959), *Por cuál causa o nostalgia* (1981), entre otros libros reunidos en el volumen *Poesía*, editado por Monte Avila (1993).

Silva, José Asunción. Bogotá, Colombia. 1865-1896. Perteneciente a la clase acomodada de su ciudad, se familiarizó temprano con las manifestaciones literarias europeas, especialmente con el decadentismo y el simbolismo. Su breve e intensa obra poética, truncada a los 31 años por su suicidio, ilustra esas preferencias, pero en más de un aspecto anticipa posibilidades de expresión que la literatura del siglo XX seguiría explorando. Dejó inédita la novela *De sobremesa*. La edición de su poesía también fue póstuma (Barcelona, 1908).

Sologuren, Javier. Lima, Perú, 1921. Poeta, crítico, traductor. Su obra poética, iniciada en 1947, se encuentra en las sucesivas ediciones de *Vida continua* (1966, 1971, 1979, 1989), título que representa cabalmente su fervorosa dedicación a este oficio. Como impresor-editor de las memorables Ediciones de la Rama Florida publicó más de 140 breves libros de autores peruanos, españoles e hispanoamericanos y excelentes traducciones. Sus escritos sobre arte y literatura están reunidos en *Gravitaciones & tangencias* (1989). Es miembro de la Academia Peruana de la Lengua.

Storni, Alfonsina. Sala Capriasca, Suiza, 1892 – Mar del Plata, Argentina, 1938. Poetisa y autora teatral. Ejerció como maestra en Rosario. Se estableció en Buenos Aires en 1911, donde publicó sus primeras colaboraciones en la revista *Caras y Caretas*. En su obra se expresa a menudo, con lucidez y audacia, la conciencia de la feminidad como problema social. Algunos de sus libros: *El dulce daño* (1918), *Irremediablemente* (1919), *Languidez* (1920), *Ocre* (1925), *Mascarilla y trébol* (1938). En Mar del Plata escribió su soneto último, "Voy a dormir", que fue publicado en Buenos Aires al día siguiente de su suicidio.

Tassis y Peralta, Juan, Conde de Villamediana. Lisboa, Portugal, 1582 – Madrid, 1622. Se educó en el ambiente cortesano. Su familia poseía el monopolio de correos en España, y él tuvo el cargo de correo mayor. Vivió una juventud agitada, y sufrió destierros motivados por sus sátiras políticas. Su asesinato ha dado lugar a leyendas de amores y venganzas. Admirador y defensor de Góngora, dejó una obra lírica original y de rara perfección e intensidad. Sus *Obras* fueron publicadas en Zaragoza en 1629 y en Madrid en 1631.

Teillier, Jorge. Lautaro, Chile, 1935 – Valparaíso, 1996. Estudió Historia, y ejerció fugazmente como profesor en su ciudad natal. De regreso en Santiago trabajó como redactor del *Boletín de la Universidad de Chile*. Con su primer libro, *Para ángeles y gorriones* (1956), se inició una corriente denominada "poesía de los lares", cuya influencia ha sido considerable en un sector de la literatura chilena. *Muertes y maravillas* (1971) reunió toda su producción, continuada con *Para un pueblo fantasma* (1978) y *Cartas para reinas de otras primaveras* (1985). Un último libro, antológico: *Los dominios perdidos* (1993).

Terrazas, Francisco de. México, 1525-1600? Es el primer poeta nacido en la Nueva España, hijo de un conquistador del mismo nombre. En 1577 cinco sonetos suyos fueron incluidos en el cancionero manuscrito *Flores de varia poesía,* recopilado en la Ciudad de México, y en 1584 Cervantes lo elogió en el *Canto de Calíope* de *La Galatea*. Se ignora si viajó a Europa, o si su cercanía a la escuela sevillana se debió a una posible relación con Gutierre de Cetina, en México. Intentó la épica, pero son sus poemas líricos los que lo sitúan en un lugar de importancia en la literatura colonial.

Vallejo, César. Santiago de Chuco, Perú, 1892 – París, 1938. Como ha señalado A. Escobar, Vallejo "personifica el proceso de la poesía del Perú", y habría que agregar que en gran medida también el de la poesía hispanoamericana. *Los heraldos negros* (1918), *Trilce* (1922) y los libros póstumos *Poemas humanos* y *España, aparta de mí este cáliz* (1939) ilustran, con intensidad y precisión singulares, momentos de cambios radicales ocurridos en el siglo XX en la concepción poética y en los correspondientes sistemas expresivos. Estudios vallejianos orientadores son los de A. Ferrari, A. Coyné, A. Escobar, J. Guzmán, R. Paoli, D. Sobrevilla. Juan Larrea organizó y dirigió en Córdoba, Argentina, la publicación de los importantes volúmenes colectivos *Aula Vallejo* (Nos 1-12, 1959-1974).

Vega Carpio, Lope Félix de. Madrid, 1562-1635. Estudió en Alcalá de Henares. Tuvo una agitada vida sentimental, que no terminó con su ordenación de sacerdote en 1614. Ha sido el escritor más fecundo de la literatura española. Como autor dramático, creó la comedia popular y nacional. Asimismo notable es su vasta producción poética, que incluye romances, epístolas, canciones, églogas, el poema épico burlesco *La gatomaquia*, y numerosos sonetos, cuya primera colección fue *Rimas humanas* (1602). En prosa es autor de *La Arcadia*, *El peregrino en su patria*, *La Dorotea*, entre otras.

Vilariño, Idea. Montevideo, Uruguay, 1920. Es licenciada en literatura. Ha estudiado las obras de Rubén Darío, Delmira Agustini, J. Herrera y Reissig y las letras de tango. Su trabajo sobre *Grupos simétricos en poesía* apareció en 1958. Inició su obra poética con el breve cuaderno *La suplicante* (1945), al que han seguido numerosos libros. Entre ellos, *Nocturnos* (1955), *Poemas de amor* (1962), *Pobre mundo* (1967), *No* (1980). En España y en Cuba se han publicado importantes antologías suyas en los últimos años.

Westphalen, Emilio Adolfo, Lima, Perú, 1911. Poeta y ensayista representativo del surrealismo hispanoamericano. En 1933 publicó *Las ínsulas extrañas* y en 1938 *Abolición de la muerte.* Sus trabajos críticos son ejemplares, y muy memorables sus revistas *Las Moradas* (1947-1949) y *Amaru* (1967-1971). Después de muchos años de distanciamiento editorial, reunió su poesía publicada e inédita en un volumen: *Otra imagen deleznable...* (1980).

No fue posible obtener los permisos para la inclusión de los siguientes poemas: "Si me llamaras...", de Pedro Salinas; "Unidad en ella", de Vicente Aleixandre; "Se equivocó la paloma", y "Retornos del amor en los bosques nocturnos", de Rafael Alberti, e "Inventar la verdad", de Xavier Villaurrutia, los cuales fueron substituidos por poemas de otros autores.

INDICE

Nota preliminar 9

Juan Ruiz, Arcipreste de Hita
  Cualidades de las mujeres chicas 13

Anónimo
  Fonte frida, fonte frida 15

Garcí Sánchez de Badajoz
  Un sueño que soñó 16

Garcilaso de la Vega
  Egloga primera (Fragmentos) 19
  Soneto V Escrito está en mi alma vuestro gesto 24
  Soneto X ¡Oh dulces prendas por mi mal halladas 24

Gutierre de Cetina
  Madrigal I 26

Francisco de Terrazas
  Dejad las hebras de oro ensortijado 27
  A unas piernas 28

Fernando de Herrera
  Soneto XXXII ¡Oh cara perdición, oh dulce engaño 29

Francisco de Aldana
  Soneto XII "¿Cuál es la causa, mi Damón, que estando 30

Anónimo
  Romance de amores 31

Luis de Góngora y Argote
    Soneto LXXXII La dulce boca que a gustar convida 32
    Soneto CIII De un caminante enfermo que se enamoró
    donde fue hospedado. 33

Lope Félix de Vega y Carpio
    Soneto LXI Ir y quedarse, y con quedar partirse 34
    Soneto CLXXXVIII Suelta mi manso, mayoral extraño 35

Francisco de Medrano
    Soneto XLI Quien te dice que ausencia causa olvido 36

Francisco de Quevedo y Villegas
    Soneto amoroso definiendo el amor 37
    Amor constante más allá de la muerte 38
    Prosigue en el mismo estado de sus afectos 38

Juan de Tassis Peralta, Conde de Villamediana
    A una dama que se peinaba 40
    Amor no es voluntad, sino destino 41

Sor Juana Inés de la Cruz
    Que contiene una fantasía contenta con amor decente . . . 42
    En que satisface un recelo con la retórica del llanto 43

Manuel de Navarrete
    La separación de Clorila 44

Gertrudis Gómez de Avellaneda
    Imitando una oda de Safo 45

Gustavo Adolfo Bécquer
    Volverán las oscuras golondrinas 46

José Martí
    IX Quiero, a la sombra de un ala 47

Manuel Gutiérrez Nájera
    Non omnis moriar 49

Julián del Casal
    Mis amores 51

José Asunción Silva
    Nocturno 52

Rubén Darío
   Amo, amas 54
   Versos de otoño 54

Amado Nervo
   Cobardía 56

Leopoldo Lugones
   Delectación morosa 57
   Alma venturosa 58

Julio Herrera y Reissig
   Decoración heráldica 59
   Amor sádico 60

Antonio Machado
   XI Yo voy soñando caminos 61

Juan Ramón Jiménez
   Retorno fugaz 62

Delmira Agustini
   La noche entró en la sala adormecida 63
   El intruso 64
   Amor 64

Ramón López Velarde
   Mientras muere la tarde 66
   La mancha de púrpura 67
   Mi corazón se amerita 68

Enrique Banchs
   Balbuceo 69

Gabriela Mistral
   Amo amor 71
   Balada 72

Alfonsina Storni
   La caricia perdida 73

César Vallejo
   Idilio muerto 74
   XV En el rincón aquel, donde dormimos juntos 75

Vicente Huidobro
Altazor. Canto II (Fragmentos)   76

Gerardo Diego
Insomnio   80

Luis Palés Matos
El llamado   81

Federico García Lorca
Elegía a Doña Juana la Loca   84
Baladilla de los tres ríos   86

Jorge Carrera Andrade
Cuerpo de la amante   88

Luis Cernuda
Si el hombre pudiera decir   90

César Moro
Batalla al borde de una catarata   92

Pablo Neruda
Poema 15 Me gustas cuando callas   94
Poema 20 Puedo escribir los versos   95
Soneto IV Recordarás aquella quebrada caprichosa   96

Carlos Oquendo de Amat
Poema del mar y de ella   97

Aurelio Arturo
Canción de la noche callada   98
Madrigal 3   99

Enrique Molina
A Vahíne 101

Miguel Hernández
Soneto final 103

Emilio Adolfo Westphalen
Viniste a posarte 104

Oscar Cerruto
El amor 106

Pablo Antonio Cuadra
Manuscrito en una botella 107

Eduardo Carranza
Azul de ti 109

Joaquín Pasos
Esta no es ella 110

Eduardo Anguita
El verdadero momento 112

Octavio Paz
Piedra de sol (Fragmentos) 114

Nicanor Parra
Cartas a una desconocida 118

Gonzalo Rojas
¿Qué se ama cuando se ama? 119
Las hermosas 120

Mario Florián
Pastorala 121

Idea Vilariño
Ya no 123

Fernando Charry Lara
Te hubiera amado 125

Olga Orozco
No hay puertas 127

Jaime Sáenz
Aniversario de una visión. VII 130

Javier Sologuren
Oh amor asombroso 132

Juan Sánchez Peláez
Retrato de la bella desconocida 133

Alvaro Mutis
Hija eres de los Lágidas 135

Jorge Gaitán Durán
Se juntan desnudos 137

Ernesto Cardenal
Epigramas 138

Carlos Germán Belli
Poema 140

Juan Gonzalo Rose
Marisel 141

Enrique Lihn
La despedida 142

Juan Gelman
Una mujer y un hombre 146

Roque Dalton
La memoria 147

Jorge Teillier
En la secreta casa de la noche 149

Alejandra Pizarnik
Silencios 151

Eugenio Montejo
Marina 153

Jorge Debravo
Lechos de purificación 154

Oscar Hahn
Ningún lugar está aquí o está ahí 155
Con pasión sin compasión 156

Carlos Montemayor
Citerea 157

Sobre los autores 159